ZENDINGSDRANG

Eerder verschenen van Richard de Nooy:

Zes beetwonden en een tetanusprik (2008)
Zacht als Staal (2010)

Richard de Nooy

Zendingsdrang

Nijgh & Van Ditmar
Amsterdam 2013

Voor mijn vrouw, die mij gelukkig weigert te accepteren zoals ik ben.

De auteur ontving voor het schrijven van dit boek een werkbeurs van het Nederlands Letterenfonds.

www.richarddenooy.com
www.nijghenvanditmar.nl

'You have long been inside my head. And now I am inside yours.'
GRAFFITI, PICCADILLY LINE, LONDEN

[...]

Beste Rem,

Ik dacht dat ik voorgoed van je af was, maar het is je gelukt: alles draait weer lekker om jou. Mocht je dit ergens
met een dikke grijns op je smoel zitten lezen, maak je dan
geen illusies: ik schrijf dit niet als lofzang op jouw leven
of op onze broederschap. Nee, ik doe dit omdat ik eindelijk eens munt wil slaan uit de verwoesting die je in de
afgelopen veertig jaar in zoveel levens hebt gezaaid, met
je onbedwingbare experimenteerdrift en roekeloze zendingsdrang. Misschien schenk ik mijn deel van de opbrengst wel aan de naasten van de laboratoriumratten die
door jouw ziekelijke afwijking gesneuveld zijn. Vroeger
dacht ik nog dat je er niks aan kon doen, dat je gewoon
een pechvogel was die van het ene ongeluk in het andere
viel, maar nu weet ik zeker dat je steeds weer bewust het
noodlot hebt willen tarten, dat je moedwillig hebt lopen
fokken met de levens van mensen die geen weet hadden
van de strontstorm die jou altijd kort op de hielen volgt.
　We hebben getracht het waarheidsgehalte van jouw
stukken te verifiëren, maar daar was geen beginnen aan.
Uiteindelijk hebben we alles gewoon zo goed mogelijk
gerangschikt en het label 'fictie' erop geplakt. En dat is wel
zo gepast, want ondanks het feit dat je een klootzak bent,

blijf je een schitterende leugenaar. Er spreekt waarachtigheid en compassie uit je stukken. Het is alleen jammer dat je dat nooit hebt weten te verplaatsen naar je echte leven, waar je het had kunnen delen met de mensen die om jou gaven. Ik kan er niet meer om rouwen.

Van de uitgever mocht ik het eigenlijk niet zeggen, maar het is een miserabel boek geworden, waarin de slechtste eigenschappen van de mens breeduit worden geëtaleerd. Je had zelf al een flaptekst verzonnen: 'Het losgeslagen zoontje van *One Flew Over The Cuckoo's Nest* en *The Killing Fields*, verloren in een donker labyrint waar het laatste sprankje hoop ronddwarrelt als een vuurvliegje.' Ergens hoop ik dat het nog minder succesvol wordt dan je twee eerdere boeken. Dat zou een gepaste straf zijn. Maar ja, ik wil wel dat dit boek mijn kosten dekt – de vlucht, de tijd die ik eraan heb besteed, de advocaat en de processen die eventueel aangespannen zullen worden. Dus ik sluit af met de bekentenis dat ik nog nooit zo'n wonderbaarlijk stukje geschiedschrijving onder ogen heb gehad. Ik hoop dat vele lezers die mening met me delen, dan komt er misschien toch nog iets goeds uit het verderfelijke riool dat voor jouw leven moest doorgaan.

Je broer

[...]

Er is natuurlijk een lange gang, net als in de film, met vijf deuren aan weerszijden. De meeste zijn dicht. Bij de drie open deuren glimt het daglicht op de gepoetste vloer. Uit een van de kamers klinkt monotoon gebrabbel.

'Haile Selassie,' zegt Bobby. Zijn lachrimpels reiken

tot in zijn grijze slapen. We kennen elkaar inmiddels al goed: ik zijn vriendelijke donkere tronie en hij mijn hele lichaam, naakt, van voren en van achteren. (Een zeldzaam gezellige visitatie: 'Scrotum optillen alstublieft. Goed. Omdraaien. *Baie dankie.* Armen omhoog en drie keer diep door de knieën. U bent nog lenig. En schoon. Baie dankie. Kleed u zich maar aan.') Bobby is een kop groter dan ik, stevig gebouwd, met boksersvuisten. 'Een Somaliër. Onverstaanbaar,' zegt hij. 'U komt toch ook uit Afrika?' (Mooi sprongetje.)

Jacqueline – 'zeg maar Jacq' – die links naast me loopt, maant Bobby tot stilte met een blik voorlangs. Ze is klein maar stevig, type hoofdzuster, voldoet aan alle clichés: streng doch rechtvaardig, niet onvriendelijk, waarschijnlijk lesbisch. 'Ik heb wat informatie op uw kamer neergelegd,' zegt ze. 'Als iets onduidelijk is, geef een gil.'

'Dit wordt 'm,' zegt Bobby. Zijn hand zwemt als een platte roze vis voorbij en duikt de eerste open deur in. 'Lekker licht. U zit aan de goede kant.' De kleine kamer is Scandinavisch ingericht. Overal zijn de scherpe randjes vanaf gehaald, zo blijft alleen de stompe dood een optie.

Jacqueline trekt de deur achter ons dicht. 'Hij kan ook weer open,' zegt ze. 'Behalve als wij hem van buiten hebben dichtgedaan. U krijgt zelf ook een sleutel. Voor overdag. Wordt nog aan u uitgelegd. Uw kleren kunnen hier in.'

Zij en Bobby blijven kijken hoe ik mijn spullen uitpak en proberen me op mijn gemak te stellen met opmerkingen en vragen.

'We hebben ook papier voor u neergelegd. En een potlood,' zegt Jacqueline.

'U mag ook mee naar de bieb als u wilt. U roept maar,' zegt Bobby.

'De keuze is beperkt. We krijgen niet zo vaak schrijvers hier.'

'U lijkt niet op uw foto. U heeft uw baard laten staan.'

'Wat heeft u liever: meneer De Heer, Remco, Rem of Deo?'

'Dat zal Cornelius leuk vinden: Deo,' lacht Bobby.

'U mag straks al op de groep,' zegt Jacqueline. 'Kijkt u maar.'

'Het is altijd effe wennen voor de nieuwkomers,' zegt Bobby. 'Maar u hoeft nergens bang voor te zijn. Er staan altijd IW'ers op de groep.'

'Inrichtingswerkers,' verduidelijkt Jacqueline. 'Vandaag zijn dat Henk en Claudio. En wij zijn ook in de buurt.'

'Morgen is Milly er. Die is leuk,' zegt Bobby.

'Ook leuk,' corrigeert Jacqueline.

'Ook leuk, ja. Dit is de natte ruimte.' (Interessant sprongetje.)

'U mag elke dag douchen als u dat wilt,' voegt Jacqueline toe. 'Hier tegenover op de gang. Zo vaak u wilt.'

'Dus u komt echt uit Zuid-Afrika?' vraagt Bobby.

'Lang geleden,' antwoord ik.

'Nou, we laten u even met rust,' zegt Jacqueline. 'Het zou fijn zijn als u de informatie even doorneemt, dan kom ik over een uurtje nog eens langs.'

'Welkom. En baie dankie nog...' zegt Bobby.

'Ja, baie dankie inderdaad. En tot zo,' zegt Jacqueline.

De observatie is begonnen. Wat zouden ze zien?

[...]

Observandus is rustig en weinig spraakzaam. Reageert nauwelijks op vragen.

Obs lijkt in goede fysieke gezondheid te verkeren en is goed ver-
zorgd. Ruikt naar zeep en aftershave. Heeft baard laten staan
maar hoofd is kaalgeschoren, waardoor uiterlijk afwijkt van
foto geleverd door huis van bewaring.

Obs is in staat zelf zijn spullen op te ruimen en heeft dat net-
jes gedaan zonder overdreven zorg. Obs merkt dat de onder-
ste plank nog nat is van de allerlaatste poetsdoek, ruikt dat de
schoonheid van citroen en eucalyptus het alweer moeten afleg-
gen tegen de eeuwige, onuitroeibare rioollucht, hoort de trein en
ziet de spoorlijn als twee stalen regels waarop zovelen hun af-
scheidsbrief hebben geschreven.

[...]

Er wordt op de deur geklopt. Dat is snel. *(Tijdsbesef obs dik*
in orde.) Er staat een oudere hippie met een witte baard en
John Lennon-brilletje te knipperen met zijn natte, blauwe ogen. Hij doet een stap naar achteren en kantelt zijn
hoofd afwachtend, als een hond die een snack ziet.

'Henk?' vraag ik. Geen reactie. 'Claudio?' De hippie
duwt met zijn neus zijn bril omhoog. Gele tanden ver-
schijnen tussen snor en baard. 'Cornelius?'

'Henk!' roept de hippie plotseling de gang in.

'Cor! Cornelius?' roept een stem vermoeid aan het eind
van de gang. 'Laat meneer De Heer nog even met rust.'

'Hij moet iets!' roept Cornelius.

Rustige stappen naderen over de gang. 'Hoi, ik ben
Henk.' Ik schud zijn hand. Het is een compacte driftkik-
ker met een oud litteken dat van zijn linkerwenkbrauw
tot zijn jukbeen loopt. Ook hij heeft de cursus met goed
gevolg doorlopen. 'Had u iets nodig?'

'Dit is Deo! De Goddelijke!' zegt Cornelius verbaasd, alsof Henk ze niet allemaal op een rijtje heeft.

'Dit is Cornelius,' zegt Henk. 'Geef meneer De Heer even een hand, Cornelius.'

Als ik mijn hand uitsteek, roept Cornelius geschrokken: 'Dat mag helemaal niet!' en loopt haastig de gang af.

'Welkom, ennuh... baie dankie,' zegt Henk. 'Ik zorg dat u met rust gelaten wordt, oké?'

'Hartelijk dank,' zeg ik.

[...]

Observandus reageert vriendelijk op bezoek van mede-obs Cornelius. Lijkt niet te schrikken van Cornelius' ongewone bejegening, nog van het feit dat het wild hier blijkbaar vrij mag rondlopen. Verbaast zich wel dat de IW'ers geen uniform dragen, waardoor ze alleen te herkennen zijn aan hun portofoon.

Obs schudt IW-Henk stevig en iets te langdurig de hand, en trekt zich vervolgens met een ongeforceerde glimlach terug om de voordelen van zijn goddelijke status te overwegen.

Obs werpt een blik op de huisregels en vindt het enigszins zorgwekkend dat 'gij zult niet doden' niet boven aan de lijst te vinden is, want daar staat: 'Vriendelijk verzoek om uw kamer te allen tijde schoon en netjes achter te laten.'

Obs merkt dat er een aparte lijst is met goederen die wel/niet mogen worden 'geïmporteerd' door bezoekers. Wijselijk verboden zijn drugs, nagelknippers, gereedschappen, slag-, steek- en vuurwapens, explosieven en sleutels. Wel toegestaan is 'vogel klein (voer en zand in doorzichtige verpakking)'. Dat zou boven aan de lijst moeten staan.

Obs kan haast niet wachten om zijn advocaat op pad te sturen voor een 'tv klein model', 'eigen beddengoed (moet brandvertragend zijn)', een telefoonkaart en een zebravink.

[...]

Er wordt weer aangeklopt. Ik ben even de weg kwijt. Het is donker op de kamer. Als ik de deur eindelijk vind, zie ik Jacqueline. Henk staat achter haar met een dienblad. Het licht gaat aan.

'U was in slaap gevallen,' zegt Jacqueline.

'Roomservice,' blaft Henk. 'U had een prakkie besteld.'

'Ik heb geen honger.'

'Kijk maar wat u wegkrijgt,' zegt Henk.

'Komt waarschijnlijk door de obstipatie,' zegt Jacqueline. 'Daar heeft u toch last van?'

Henk zet het dienblad op het tafeltje neer en sluit de deur. Hij blijft posten, armen over elkaar, terwijl Jacqueline op de rand van het bed gaat zitten.

'U was even helemaal van de wereld, terwijl ik had gehoord dat u zo slecht slaapt,' zegt Jacqueline.

'Overdag slaap ik wel, 's nachts niet.'

'Heeft u de informatie doorgenomen?' vraagt Jacqueline.

Ik knik.

'Was het duidelijk allemaal?' vraagt ze. 'U hoeft niet zo veel, maar er zijn afspraken en het is raadzaam om zo goed mogelijk mee te werken.'

Ik knik.

'Verder geen vragen? De nachtdienst komt zo en wij zijn er morgenvroeg weer. Om negen uur heeft u een afspraak met de psycholoog, dr. Hauptfleisch.'

'Dr. Hoofdvlees – hij blijft leuk,' lacht Henk.

'Dan laten we u nu met rust. Een prettige nacht,' zegt Jacqueline.

'En nog baie dankie, hè. Tot morgen,' zegt Henk.

'Bedankt. Tot morgen,' zeg ik.

'Hier drukken als u wat nodig heeft. Op dit knoppie,' zegt Henk en kijkt me indringend aan van onder zijn wenkbrauwen, als een strenge sheriff die een onuitgesproken waarschuwing overdraagt aan de eenzame pistoolheld.

[...]

Observandus heeft ruim 2,5 uur geslapen aan het eind van de middag.

Obs bleek geen honger te hebben. Mogelijk verminderde eetlust door eerder vermelde obstipatie. Mogelijk ook doordat de institutieprak al sinds mensenheugenis onderdeel is van de straf en nog altijd wordt bereid door koks die door de duivel zelf worden aangesteld.

Obs is verbaasd dat er stalen bestek wordt verstrekt en hoopt dat het 's nachts nauwkeurig wordt geteld.

Obs heeft wel wat gedronken en zat tot in de vroege ochtend schrijvend aan zijn bureau. Hij raapt de rottende vruchten van zijn verleden op en probeert er verhalen uit te distilleren. De eerste oogst is tien velletjes dubbelzijdig.

[...]

Er zit iemand naast me op bed. Tegen mijn rug aan. Ik voel een hand op mijn bovenarm. Een vrouw. Ik ruik haar parfum. Niet onprettig, wel sterk, pas opgespoten. Er gloort daglicht achter de gordijnen. Ze knijpt twee keer zacht in mijn bovenarm en zegt mijn naam.

'Meneer De Heer? Ik ben Milly. Sorry dat ik u wakker maak, hoor.'

'Dit is nou onze Milly,' zegt Bobby. Ik zie hem niet maar hoor zijn glimlach.

Als ik me omdraai, staat Milly meteen op en doet een stap naar achteren. Ze is achter in de veertig, klein, donker, netjes gekapt en gekleed. Haar felgekleurde bloes is glimmend strakgetrokken over haar zware borsten. Ze ziet me kijken en knoopt haar donkere colbertje dicht. Ze glimlacht geruststellend.

'U heeft het laat gemaakt heb ik begrepen,' zegt ze.

'De nachtdienst zei dat er om halfvijf nog licht bij u brandde,' zegt Bobby. 'U bent druk bezig geweest, zie ik.' Hij wijst op de stapel beschreven bladen op tafel.

Milly wil er meteen heen lopen, maar ziet hoe ik verstijf en kijkt geïnteresseerd naar het stapeltje papier, wijst met haar vinger alsof ze op afstand probeert te tellen. 'Hoeveel zijn het er wel niet?'

'Een stuk of tien, denk ik.'

'Aan beide kanten volgeschreven?' vraagt Bobby vol bewondering.

'Ja. Groot handschrift.'

'Wauw,' zegt Milly.

'Ja, wauw,' zegt Bobby.

'Dat zal dr. Hauptfleisch interessant vinden. U heeft over een uur een afspraak met hem. Dat had u begrepen?' vraagt Milly.

'Ja. Uw collega had dat al verteld.'

'Mooi zo. U kunt nu nog wat eten als u wilt,' zegt Milly. 'Een boterham of een stuk fruit misschien?'

'Is hij wakker, de Goddelijke? Komt Hij tevoorschijn?' hoor ik Cornelius achter Bobby op de gang vragen.

'Ik zal het vragen, Cornelius. Komt u mee naar de groep, meneer De Heer?' vraagt Bobby.

'Liever niet.'

'Nog even niet, Cornelius. Maar misschien kun je wel een boterham voor meneer De Heer gaan halen. Of een stukje fruit?' vraagt hij.

'Dank je, maar ik heb geen trek.'

'Een banaan misschien? Of een mandarijn?' probeert Milly.

'Ga ik halen. Ga ik halen. Banaan en/of mandarijn.' Cornelius snelt met piepende gympen naar de eetzaal. 'Beide! Ik breng beide! Banaan én mandarijn!' roept hij aan het eind van de gang.

'U heeft nu al een nieuwe vriend,' lacht Milly.

'U hoeft echt niet bang te zijn voor die jongens, hoor,' zegt Bobby.

'Ik ben niet bang. Het is...'

'U hoeft het niet uit te leggen hoor,' zegt Millie. 'Alles op z'n tijd.'

Cornelius remt piepend op de gang. 'Hier, Bobby, hier, hier! Voor de Goddelijke. Een banaan en/of mandarijn. Of beide. Hij mag zelf kiezen, toch?

'Ja Cor,' zegt Bobby rustig, 'hij mag helemaal zelf kiezen.'

'Mag ik hem zien, de Goddelijke?' vraagt Cornelius.

'Hij is nog niet klaar, Cor. Zullen we hem nog even met rust laten?' zegt Bobby en overhandigt het fruit aan Milly, die het weer aan mij geeft.

'Dr. Hauptfleisch komt om tien uur,' zegt Milly. 'U kunt nog lekker douchen als u wilt.

'Hartelijk dank.'

'Baie dankie, toch?' zegt Bobby.

'Ja, maar ik ben eigenlijk niet Afrikaans.'

'Maar u komt toch uit Afrika?' zegt Bobby.

'Ja, maar ik ben Engelstalig opgevoed.'

'Dus we lopen voor niks baie dankie te zeggen?' zegt Bobby.

'Wie heeft gezegd dat je dat moet zeggen?' lacht Milly.

'Jacq. Weet je nog? Bij de briefing?' zegt Bobby.

'Ik vind het niet erg,' zeg ik.

'Kom, Bob, we laten meneer De Heer even met rust,' zegt Milly. 'We komen later nog even bij u langs, oké?'

'Prima.'

'Baie dankie dan toch maar...' zegt Bobby.

'Ja, baie dankie,' zegt Milly.

[...]

Obs verzuimde te vermelden dat hij rond het ochtendgloren rillend wakker werd, naakt, onder zijn bed. De F-16 met zijn gierende motoren en hittezoekende raketten was weer eens uit het niets verschenen. En alle wetten van de droomlogica wezen erop dat een ijskoud lichaam moeilijker te vinden is.

Obs vond aan de onderzijde van het bed de gekraste berichten van zijn voorgangers. Ter linkerzijde: 'Eddie RIP Donna 4 eva' en 'Jij bent de duivel Jij! Jij!' En ter rechterzijde, twintig keer onder elkaar: 'Droom Moord Droom Moord...', als een mantra.

Obs vind het raadzaam zijn cel vooralsnog niet te verlaten, be-

halve om de gang over te steken naar de douche. Bobby heeft obs een eigen sleutel gegeven en moest heel hard lachen toen obs vroeg of hij ook op de voordeur paste. 'Nee, maar u kunt er wel mee voorkomen dat een van uw mede-observandi zich op uw bed ontlast,' zei Bobby.

[...]

EH: Eugène Hauptfleisch. Hoe maakt u het, meneer Deo?

Deo: Remco de Heer.
(De psycholoog aarzelt. Zijn hand is koud en mager, een beetje klam maar toch stevig. Hij vraagt of hij mag gaan zitten. Bobby staat achter hem in de deuropening.)

EH: Welke naam heeft uw voorkeur?

Deo: Dat wisselt nog weleens.

EH: Wat interessant. Wilt u daar iets meer over vertellen?

Deo: Het hangt van de omstandigheden af welke naam ik gebruik.

EH: Het is uw *nom de plume*, toch? Deo?

Deo: Inderdaad.

EH: Gebruikt u hem alleen als u aan het werk bent?

Deo: Ik gebruik hem als mensen mijn echte naam niet kennen. U heeft mijn paspoort.

EH: Fascinerend. (Maakt aantekening) Gebruikt u die naam al lang?

Deo: Sinds het begin van mijn carrière in de journalistiek. Het geeft me een zekere mate van anonimiteit als ik aan het reizen ben.

EH: (Glimlacht) En een zekere status blijkbaar. Ik heb

begrepen dat onze Cornelius u inmiddels goddelijke eigenschappen heeft toegedicht.

Deo: Blijkbaar. Maar ik ben de naam vooral blijven gebruiken omdat hij makkelijk in alle talen is uit te
spreken.

EH: U reist veel, heb ik begrepen, voor uw werk?

Deo: Inderdaad.

EH: Ik wil daar graag een andere keer op terugkomen.
Heeft u er bezwaar tegen dat ons gesprek wordt opgenomen?

Deo: Gaat uw gang.

EH: Dank u.
(Hij vraagt vriendelijk aan Bobby of hij buiten zou
willen posten zodat we niet gestoord worden.)

EH: Ik heb begrepen dat u tot in de kleine uurtjes hebt
zitten schrijven.

Deo: Inderdaad.

EH: Dat maken we niet vaak mee hier. Zou ik het mogen lezen?

Deo: Waarom?

EH: (Maakt aantekening) Misschien begrijp ik u dan
iets beter.

Deo: Ik kan mijn eigen handschrift soms nauwelijks lezen.

EH: Dat komt me bekend voor. Hier, kijk maar.

Deo: (Glimlacht) Waarom schrijf je alles op? Het wordt
toch allemaal opgenomen?

EH: Inderdaad. Maar helaas zijn mijn gedachten niet
op band te horen.

Deo: (Glimlacht) Mag ik lezen wat je hebt geschreven?
Misschien helpt dat mij ook.

EH: (Glimlacht) Misschien. U mag in ieder geval het

eindverslag lezen en daartegen bezwaar aantekenen.

Deo: Heel fijn.

EH: Dat is gebruikelijk. Alle observandi hebben inzage
in hun eindverslag en mogen bezwaar aantekenen.
Maar ik zou kunnen kijken of u ook inzage mag
hebben in mijn tussenverslagen, vooral als dat uw
medewerking zou bespoedigen.

Deo: Een uitwisseling dus?

EH: Inderdaad. Ik zou het wel eerst moeten bespreken
in het teamberaad. Maar allereerst heb ik uw medewerking nodig met een aantal vragenlijsten en
diagnostische instrumenten.

Deo: Klinkt gevaarlijk.

EH: (Glimlacht) Ik vermoed dat het voor u gesneden
koek zal zijn.

Deo: Ach ja natuurlijk, de Wechsler Adult Intelligence
Scale. Versie III. Toe maar.

EH: U bent bekend met WAIS-III?

Deo: Nee, maar ik heb met de oudere WAIS op school gezeten.

EH: (Lacht) Succes!

[...]

*Observandus vroeg zich tijdens de intelligentietest af of de men-
selijke geest werkelijk in kaart te brengen is met onvolledige tekeningen, blokpatronen, cijferreeksen, plaatjes ordenen, sym-
boolzoeken, figuurleggen en – als klap op de vuurpijl – cijfers en
letters nazeggen.*

Obs werd door psycholoog EH gerustgesteld met de mededeling dat hij ook nog op de proef gesteld zou worden met de NPV, UCL, NVM, TCI, NEO-PI-R, EPPS, ZAT, TAT *en een Rorschachje, als hij daar nog zin in had.*

Obs heeft bovenstaande aantekening gemaakt op zijn wc, waar hij een groot deel van de dag doorbracht in de stille hoop dat hij een klein bruin kindje zou baren.

[...]

Verslag Jan-Karel Overschie, teamleider/jurist

De betrokkene, Remco de Heer (schrijvend en ook bekend onder de naam J.R. Deo; geboren 19 februari 1965) is een journalist die wordt berecht voor geweldpleging en wordt verdacht van verschillende andere onopgehelderde delicten die elders plaatsvonden. Hangende het onderzoek en gezien de vluchtgevaarlijkheid van betrokkene is hij overgebracht naar het Instituut voor Forensische Observatie om zijn geestelijke gesteldheid, mate van toerekeningsvatbaarheid en de kans op recidive vast te stellen.

Kort voordat hij naar het Midden-Oosten vertrok voor een reportage heeft betrokkene een aantal mensen aangevallen en ernstig verwond in een kroeg waar veel journalisten elkaar treffen. Hij verminkte twee collega's en bracht twee anderen niet-blijvend letsel toe. Betrokkene was mogelijk onder invloed van alcohol en drugs ten tijde van het delict. Er werd toen geen bloed-

proef afgenomen. Kort na het incident had hij
het land verlaten. Betrokkene ontkent bovenstaande feiten niet.

Enkele maanden later werd dhr. Deo alsnog gearresteerd toen hij terugkeerde uit het Midden-Oosten. Bij het doorzoeken van zijn bagage
werd een potje gevonden met daarin een vinger op
sterk water. Ondanks herhaalde ondervraging [...]

*[NB: In stafberaad is besloten om observandus voor-
lopig inzage te gegeven in verslagen. Deze zullen
evenwel eerst worden voorgelegd aan teamleider en
psychiater zodat juridische en anderszins gevoelige
informatie kan worden gecensureerd. Mocht deze afspraak onwerkbaar blijken dan zal zij heroverwogen
worden. Getekend JKO.]*

[...]

Verslag Eugène Hauptfleisch, psycholoog

Observandus is een man van middelbare leeftijd
met een kaalgeschoren hoofd en volle baard die
netjes onderhouden is. Hij is vriendelijk en be-
reidwillig. Hoewel observandus in Zuid-Afrika
is opgegroeid spreekt hij vloeiend Nederlands en
zal hij geen specialistische aandacht van tolken
enzovoort behoeven.

Uit het eerste gesprek en de resultaten uit
WAIS-III blijkt observandus een ver bovengemid-
delde intelligentie te hebben. Observandus heeft
naar eigen zeggen alleen de middelbare school

doorlopen in Zuid-Afrika. Kort daarna is observandus naar Nederland gevlucht i.v.m. een geweldsincident dat plaatsvond in het Zuid-Afrikaanse leger (observandus heeft een officier geslagen). Hieruit blijkt niet alleen dat observandus mogelijk een langere geschiedenis van woedeaanvallen heeft, maar ook dat hij moeite heeft met autoriteitsstructuren.

Van laatstgenoemde is weinig gebleken tijdens ons treffen. Observandus bleef geduldig en vriendelijk en nam een consciëntieuze werkhouding aan tijdens het onderzoek. Observandus heeft evenwel tot op heden zijn cel nog niet verlaten. Bij navraag hierover kon hij geen eenduidig antwoord geven. Observandus zegt te lijden aan slapeloosheid en obstipatie. Dit is ook gebleken uit zijn gedrag. Wellicht is hier verdere aandacht geboden van arts en psychiater.

Uit het gesprek bleek dat observandus correspondent is geweest in oorlogs- en rampengebieden. Toekomstig onderzoek zal uitwijzen of observandus hier wellicht een trauma aan heeft overgehouden. Observandus geeft aan dat hij tijdens zijn jeugd het ongeluk leek aan te trekken en noemde zichzelf een 'pechmagneet'. Mogelijk heeft hij ook hieraan trauma's overgehouden. Ook dit zal verder onderzocht worden.

Referentenonderzoek richt zich momenteel op de ex-vrouw en kinderen van observandus, die elders woonachtig zijn, alsook de broer van observandus die woonachtig zou zijn in Zuid-Afrika. Collega's en opdrachtgevers zullen eveneens worden benaderd. Vooralsnog lijkt observandus geen vaste vrienden(kring) te hebben. Ook hier is verder onderzoek vereist.

Observandus heeft tijdens de eerste dagen (en nachten) op het instituut veel zitten schrijven in zijn cel. Inzage in deze geschriften zou het onderzoek kunnen bespoedigen/vergemakkelijken. Ik verzoek derhalve, bij wijze van uitwisseling, dat afschriften van gesprekken en verslagen tijdens de onderzoeksperiode gedeeld worden met observandus. Zelf zal ik me verdiepen in de rapportages en andere geschriften van observandus, die ruim voorhanden zijn.

[...]

Observandus heeft de verslagen doorgenomen met psycholoog EH, die obs nogmaals uitnodigde om contact te zoeken met zijn mede-observandi op de groep. Obs sprak de voorkeur uit om op zijn kamer te blijven.

Bobby bracht obs een folder waarin diverse werkplaatsactiviteiten stonden beschreven, zoals het maken van kindermeubeltjes in de zagerij. 'Jammer genoeg zit die groep altijd vol,' zei Bobby, 'maar u kunt ook nog kokosmatten weven en dienbladen mozaïeken. Of papier inpakken en verpakken – heel veel, want dat vindt niemand leuk.'

Obs las dat er ook twee avonden per week 'een mogelijkheid tot creatieve ontplooiing' was: schilderen, beeldhouwen, zeefdrukken, pottenbakken en nog veel meer activiteiten waar slag- en steekwapens aan te pas komen.

Obs besloot vooralsnog in zijn cel te blijven, schrijvend op zijn wc.

[...]

Zeep

Mijn naam is Buseko en u zult mij nimmer vergeten. Ik was vijftien toen ik stierf. Mijn resten liggen verspreid langs de oevers van een rivier waarvan ik de naam niet meer weet, stromend door een land waar de lijken van verkrachters en moordenaars aan de krokodillen worden gevoerd. Dit is mijn bekentenis.

De kat die de vogel niet vreet is geen kat.
Wij moeten doden zodat anderen kunnen leven.
Wij zullen doden zoals zij hebben gedood.
Zou je iemand doden om te eten?
Wie zou je doden om te eten?
Dit soort kreten en vele anderen werden ons toegeblaft, -gebeten en -gegromd vanaf de allereerste dag dat we in dienst traden bij de Jeep. Dat is de naam van de open auto waar de Kapitein in rijdt. De Jeep is zo groen als de diepste jungleschaduw en is in Amerika gemaakt. Er zit een groot geweer op. De naam van dit geweer is Brenda. Haar kogels zijn sterker dan die van ons. Soms gaan ze door de muren van twee kleihutten heen om mensen in de derde te doden. Dat heb ik zelf gezien. Alleen de Kapitein en zijn rechterhand, Meneer Unigwe, mogen met Brenda schieten. Maar ze hebben beloofd dat ik hun opvolger word als een van hen het leven laat in de strijd. Dit zorgt voor nogal

wat afgunst onder mijn oudere strijdmakkers, die vaak al langer bij de Jeep zitten dan ik. Maar ik ben sterk en slim, zegt de Kapitein, en daarom mag ik hem en Meneer Unigwe opvolgen. Bovendien ben ik de enige andere die ooit met Brenda heeft geschoten. Dat deed ik op dezelfde dag dat ik het leven van de Kapitein redde en hem in zijn kont schoot. Dat is een nogal ingewikkeld verhaal maar ik zal proberen om het zo eerlijk en duidelijk mogelijk te vertellen.

We moesten kogels en benzine en eten hebben en hadden een dorpje gekozen waar ik de naam niet meer van weet. Met hun verrekijkers hadden onze verkenners auto's in het dorp zien rijden, en mannen die dezelfde geweren hadden als wij. Sommigen noemen zo'n geweer een Kalasjnikov of een Aakaa of een Vier-Zeven, maar wij noemen het Zeep. Het is het betrouwbaarste wapen in de wereld. 'Je kunt hem begraven in het zand en op het zand pissen en hem de volgende dag opgraven en dan nog zal-ie zijn werk doen,' zei Meneer Unigwe. 'En ik zal het bewijzen door je met datzelfde wapen dood te schieten als je zo stom bent om het te proberen!'

We moesten allemaal heel hard lachen omdat we wisten dat Meneer Unigwe zijn belofte zou nakomen en omdat we wisten dat niemand zo stom zou zijn om zijn Zeep te begraven. Dat zou hetzelfde zijn als je eigen penis begraven. Bovendien wisten we maar al te goed hoe het was om zonder Zeep te leven, hoe vervelend het was als je de taak had om met stok en hakmes in de bosjes te wachten tot de Gazellen kwamen: de lafaards, vrouwen en kinderen die uit de dorpjes wegvluchtten als wij aanvielen. Die moest je dan van achteren bespringen om ze stil en snel af te slachten. 'Jullie zijn hun heiland,' zei de Kapitein. 'Verlos hen uit hun lijden. Want zonder de mannen van hun dorp gaan ze een nog gruwelijker dood tegemoet.'

We wisten maar al te goed hoe gruwelijk de dood kon zijn. De Kapitein had immers zelf een demonstratie gegeven toen een van onze jonge strijdmakkers het had gewaagd om zijn orders te negeren. De jongen moest lijden voor zijn eigen medemenselijkheid nadat hij werd betrapt met zijn broek om zijn enkels en een vrouwenmond om zijn penis, waardoor haar kinderen het bos in konden vluchten. De Kapitein gaf precies aan waar en hoe we de arme stakker moesten snijden. En tegen de tijd dat zijn laatste gekreun wegebde met zijn bloed, wisten we allemaal precies waarom we de orders van de Kapitein tot op de letter moesten uitvoeren. En dus lagen wij in een hinderlaag waar de Gazellen ons zouden passeren, zodat we hen van achteren konden bespringen met stok en hakmes, gericht op hoofd en nek, waar ze harder bloeden en dus sneller sterven.

Bij het vuur zat ik vaak met mijn jonge kameraden Mfunene en Kalusha te praten over de beste en snelste manier om een Gazelle te doden. De een sloeg liever eerst met de stok toe, de ander met zijn hakmes. Was het beter om ze een voor een af te slachten? Of moest je er eerst zoveel mogelijk verwonden met een enkele slag en dan terugkeren om de klus te klaren? Er was geen eenduidig antwoord op die vragen natuurlijk, maar we waren het allemaal eens dat het bijzonder bloederig was, hoe je het ook aanpakte.

'Ik wil mijn Zeep,' zei Mfunene ooit tijdens zo'n gesprek.

'Wáááát?' zongen Kalusha en ik in koor.

'Ik wil mijn Zeep,' herhaalde Mfunene terwijl hij met

een denkbeeldige Aakaa op ons schoot. 'Om mijn handen schoon te houden.'

Daar moesten we heel hard om lachen en we deelden de grap met onze oudere kameraden, en zij eerden ons door het woord ook te gebruiken, en zo raakte de naam Zeep bij ons in zwang.

Ik was de eerste jongeling die zijn eigen Zeep kreeg. Het was een soort beloning omdat ik op een stoffige middag niet minder dan acht Gazellen had afgeslacht. Toen het gevecht was afgelopen, zag ik hoe het lichaam van Jacob Mzezu werd ontdaan van zijn Zeep en andere bruikbare dingen voordat hij gedumpt werd tussen de verkoolde lijken van dorpsbewoners in een brandende hut. Die nacht hoorde ik onze oudere kameraden met elkaar fluisteren bij het vuur. Telkens keken ze even naar ons terwijl de Zeep van Jacob Mzezu van hand tot hand ging. En ze scholden op het vastgelopen wapen en op Mzezu's onzorgvuldigheid. Zelfs de Kalasjnikov was niet bestand geweest tegen de gemakzucht die zijn dood was geworden.

Ik kon de slaap niet vatten. Ik vervloekte mijn eigen ijver en vreesde dat ik door mijn bedrevenheid in de Gazellenjacht gedoemd was om voor altijd een stok-en-hakmesman te blijven.

Maar toen de zon opkwam werd ik geroepen door de Kapitein, die mij zonder poespas Jacob Mzezu's Zeep overhandigde. De twee smerige clips, die als een metalen grijns aan elkaar waren vastgetapet, zaten muurvast. De Kapitein schopte mij hard tegen mijn schenen toen ik probeerde om ze los te wrikken. 'Idioot!' blafte hij. 'Unigwe, geef deze man wat olie en laat hem zien wat hij moet doen en vooral waar hij het moet doen! Daar! Ver weg. En als je dat ding ooit weer op mij richt, dan prop ik 'm in je kont en haal ik de trekker over, begrepen?'

'Ga daarheen en wacht,' zei Meneer Unigwe, wijzend op een boom die aan de andere kant van een droge rivierbedding lag. 'Neem een deken mee. Doe niks tot ik er ben. Niks.'

Ik zat te wachten in de schaduw. Jacob Mzezu's Zeep hing boven mijn hoofd aan een tak. Mijn lichaam gloeide van trots en geluk. Toen Meneer Unigwe over het dorre veld kwam aangewandeld, stond ik op om Mzezu's Zeep te pakken, maar hij blafte hard: 'Afblijven! Zitten en luisteren!' Toen ging hij als een kleermaker op de deken zitten en begon langzaam zijn eigen Zeep uit elkaar te halen. Telkens liet hij zien hoe ik ieder deel moest schoonmaken met olie en een tandenborstel, doek of stokje.

'Als je goed hebt opgelet, dan weet je hoe hij weer in elkaar gezet moet worden,' zei Meneer Unigwe. 'Ga je gang.'

Toen ik voorzichtig de eerste twee delen optilde om ze in elkaar te zetten voelde ik plotseling een machtige klap tegen mijn kaak, alsof ik door een kogel was geraakt. Uit instinct begon ik meteen door het stof te kruipen op zoek naar dekking, terwijl het ijzeren bloed uit mijn losse tanden en gescheurde wang mijn mond inliep. Achter mij hoorde ik Meneer Unigwe lachen. Ik draaide me om en zag hoe hij naar me zwaaide met de clips en nog eens nadeed hoe hij me had geslagen.

'Eet jij keutels?' vroeg hij. 'Nee? Waarom probeer je dan keutels aan je Zeep te voeren?'

Toen hij uitgelachen was legde hij uit hoe de kogels uit de clips gehaald moesten worden en hoe ik de clips moest schoonmaken en waarom Jacob Mzezu het verdiend had te sterven voor zijn nalatigheid.

Toen ik deze pijnlijke les had geleerd en voorzichtig

het wapen van Meneer Unigwe in elkaar had gezet, zei hij dat ik Mzezu's Zeep mocht pakken. Ik deed wat mij werd opgedragen en zorgde daarbij dat de loop van het geweer op de verste bergtoppen gericht bleef. Ik legde Mzezu's Zeep naast die van Meneer Unigwe op de deken. Ze leken als het mannetje en vrouwtje van dezelfde vogelsoort. De een zwart en glimmend, de ander bruin en zielig.

Meneer Unigwe zette Mzezu's vuile Zeep op z'n kolf, haalde de gebogen clips eruit en probeerde de grendel los te wrikken. Na veel gehijg en gevloek legde hij het wapen neer en wond zijn smeerdoek om de vuile clips heen. Toen zuchtte hij alsof hij zijn favoriete zoon moest straffen en sloeg hard op de grendel met de clips. Een ongebruikte kogel sprong glanzend op de deken. Meneer Unigwe bekeek de kogel nauwkeurig en plaatste hem in zijn borstzak. Hij klopte er zachtjes op en zei: 'Ik zal deze voor jou bewaren voor het geval dat je mijn lessen vergeet.' Toen hij de rest van de kogels uit Mzezu's vuile clips had gehaald probeerde hij mij nogmaals te raken met de clips. Maar ik leer snel en liet me achterover vallen op de deken. Meneer Unigwe moest er hard om lachen en hij legde de clips op de deken neer. 'Breng hem naar me toe als hij schoon is en ik zal je laten zien hoe je ermee moet schieten. En als-ie niet goed schoon is, zul je het einde van mijn eerste les niet meemaken.' Toen stond hij op en liep terug naar het kamp terwijl ik al mijn trots en spierkracht inzette om mijn meest geliefde bezitting te poetsen.

Binnen een maand was er geen enkele kameraad die zijn Zeep zo snel kon strippen en in elkaar kon zetten als ik. En ik kan met trots vertellen dat mijn Zeep nooit meer is vastgelopen tijdens mijn leven. Dat leven duurde niet erg lang meer, maar ik kreeg meer dan genoeg kansen om mijn Zeep te gebruiken, tijdens roekeloze en heldhaftige daden, zoals op die dag, ik noemde hem al, waarop ik de Kapitein zijn leven redde en hem in zijn kont schoot.

Het gebeurde tijdens een aanval op een dorpje waarvan ik de naam ben vergeten. We hadden er niet op gerekend dat er zo veel mannen zouden zijn, en dat ze zo goed bewapend waren. Twee jochies waren door de linie geglipt en het bos in gerend. Ik ging erachteraan en doodde ze. Terwijl ik terugrende naar de linie, zag ik dat de Kapitein vanaf de Jeep het dorp aan het beschieten was. Ineens sprong er een man met een lang hakmes naast de Jeep uit de bosjes en rende op de Kapitein af. De man had zijn hakmes al boven zijn hoofd om op de benen van de Kapitein in te hakken toen ik een salvo kogels loste. Jammer genoeg stond ik te ver weg om goed te mikken en een van mijn kogels kwam terecht in de kont van de Kapitein. Hij viel achterover in de Jeep.

Omdat Brenda plotseling was stilgevallen, kwam Meneer Unigwe tevoorschijn vanachter een boom. Maar ik was hem voor en stond al op de Jeep te schieten terwijl ik steeds weer mijn excuses aanbood aan de Kapitein, die zijn bloedende kont vasthield en luidkeels zijn voorouders vervloekte. Toen Meneer Unigwe vroeg of hij pijn had en hulp nodig had, schold de Kapitein hem de huid vol en beval ons om al schietend het dorp in te rijden. Ik voelde me als een boze god, die angst zaaide in de harten van de bewoners terwijl we stuiterend en slingerend tussen de hutten door reden. Achterin lag de Kapitein te lachen en te vloeken en aanwijzingen te geven terwijl hij wild om zich heen schoot met mijn Zeep.

Nog nooit was ik zo trots geweest. Maar toen de wapens stilvielen en wij de lijken beroofden en de halfdoden uit hun lijden verlosten, voelde ik hoe vrees mijn maag in knopen draaide. Meneer Unigwe had mij weggestuurd terwijl hij de wonden van de Kapitein behandelde. Geen van beiden had mijn heldhaftigheid beloond met woord of gebaar, waardoor mij hoofd zwanger was met zorgen over wat mij te wachten stond. Om mijn last te verlichten ging ik op zoek naar de man die de Kapitein had willen doden. Ik riep Mfunene en vroeg of hij met me wilde meegaan. Terwijl wij al pratend door het dorp liepen begon zich een plan te ontvouwen. Mfunene zou mijn getuige zijn. Hij zou het hakmes loswrikken uit de verstijfde vingers van de dode man en wij zouden het samen naar de Kapitein brengen, als een souvenir en als bewijs dat ik zijn leven had gered.

De man was niet meteen gestorven. Door het stof liep een spoor van bloed dat leidde naar een ondiepe greppel waarin de man half verborgen lag. Mfunene spoog op de man z'n rug en trok het hakmes uit zijn dode klauw. Het lemmet was lang en scherp en het handvat was zorgvuldig omwonden met kleurig elektradraad. Mfunene veegde het bloed van het handvat en woog het hakmes in zijn hand. 'Een mooi cadeau,' zei hij.

Terwijl wij het dorp weer naderden werd mijn geloof in een gelukkig einde snel weggevaagd toen ik mijn kameraden met sombere gezichten om de Jeep heen zag staan. Toen ze ons in het oog kregen, veranderde de stemming plotseling. De Kapitein maakte een opmerking die ik niet kon horen, maar de mannen lachten en begonnen te juichen. Maar ook dat stelde mij niet gerust. Het was namelijk niet ondenkbaar dat de Kapitein simpelweg had gezegd: 'Hard lachen, in je handen klappen en hem dan doodschieten.'

Ik rechtte mijn rug en liep door de haag van juichende mannen naar de Kapitein. Ik salueerde en begon meteen uit te leggen dat ik wel had moeten schieten, dat ik geen andere keus had gehad, dat het me speet. De Kapitein maande mij tot stilte en zei toen dat ik sterk en slim was en dat ik de 'nieuwe man van Brenda' zou worden als hij of Meneer Unigwe het leven lieten. Ik moest alles op alles zetten om mijn trots en blijdschap te verbergen, omdat ik wist dat alle ogen van mijn kameraden op mij gericht waren. De Kapitein zei ook dat ik een wens mocht uitspreken als beloning. 'Wat moet het worden?' vroeg hij. Toen ik hem bedankte en mompelde dat ik niks kon verzinnen, riep de Kapitein zodat iedereen het horen kon: 'Ik heb geruchten gehoord dat je nog nooit met een vrouw bent geweest. Misschien kan ik dát voor je regelen?' Mijn kameraden lachten hard en ik vervloekte Kalusha binnensmonds voor zijn loslippigheid. De Kapitein zag dat ik me schaamde en riep toen: 'Wij zullen een vogeltje voor jou vangen en bewaren, Buseko!' En wederom lachten de mannen luid en mijn hart vulde zich met vreugde, niet omdat een wens in vervulling ging, maar omdat ik de Kapitein nooit eerder mijn naam had horen uitspreken.

In de weken daarna werd het cadeau uit mijn geheugen verdrongen door een hevige strijd met een machtige tegenstander, die vaak onzichtbaar was omdat we hem met onze ruggen aankeken terwijl we vluchtten van schuilplaats naar schuilplaats. Dorpen die ons ooit onderdak en proviand hadden geboden werden platgebrand, of de inwoners smeekten ons om weg te blijven omdat ze bang waren voor represailles. Zo werden we steeds verder verdreven van de vuren van onze families, naar verlaten uithoeken waar twijfel en honger en wanhoop ons opwachtten. Binnen een paar dagen vochten de kamera-den met elkaar en dreigde de Kapitein met marteling en doodstraf aan degenen die het waagden om onze missie in gevaar te brengen.

Die nacht, terwijl ik me met Kalusha en Mfunene bij het vuur probeerde te herinneren wat nou precies de aard van onze missie was geweest, riep de Kapitein ons alle-maal bij zich. Er waren nog maar elf magere mannen over.

'Morgen gaan we terug naar dat laatste dorpje om pro-viand te halen,' zei de Kapitein. 'Als ze weigeren, dan be-dreigen we ze. En als ze ons proberen tegen te houden, dan moeten we bereid zijn onze bondgenoten te doden.'

We trokken het oordeel van de Kapitein niet in twijfel, maar we lagen wel slapeloos in het stof omdat we wisten dat we bij het doden van één bondgenoot genoodzaakt zouden zijn om alle anderen ook te doden, anders zou het gerucht snel doordringen tot andere dorpen. Velen van ons zagen daarom de zon met wijd open ogen opkomen.

De Kapitein was van plan geweest om stilletjes, met de motor uit, het laatste stuk het dorp in te rollen zodat we een strategisch voordeel hadden voordat onze bond-genoten ons in de gaten hadden. Maar hij had de afstand onderschat, waardoor vier mannen de Jeep het dorp in moesten duwen. Misschien was het ergernis over deze in-schattingsfout, in combinatie met slaapgebrek, die de Ka-pitein ertoe dwong om zijn pistool te trekken en de eerste hond dood te schieten die het waagde om naar ons tries-te konvooi te blaffen. Het was ook jammer dat de eerste dorpsbewoner die tevoorschijn kwam de eigenaar van de hond was. Hij had een ouderwets geweer bij zich en be-gon meteen op ons te schieten toen hij de staat van zijn hond zag.

We verlieten de dekking van de Jeep, lieten Meneer Unigwe en de Kapitein achter om de onwillige motor aan de praat te krijgen, en liepen als een rimpel in een vijver door het dorp, schietend op ieder levend wezen dat we zagen. Toen er geen beweging meer was gingen we van hut naar hut, schopten de deuren open en besproeiden alle hoeken met kogels.

Toen ik een van de hutten uitliep zag ik nog net een man die over de rand de rivierbedding in dook. Hij droeg een kind en had een ander aan de hand. Ik sprintte langs de rivier achter ze aan en zag ze tussen de bomen en bosjes langs de rivier tevoorschijn komen. Ik nam ze rustig op de korrel en had niet meer dan vijf kogels nodig om ze alledrie om te leggen. Ik gleed naar beneden de bedding in om te controleren of ze dood waren.

Tegen de tijd dat ik een paadje had gevonden om weer uit de rivierbedding te klimmen, waren de geweren in het dorp stilgevallen. Ik zag mijn kameraden juichend en lachend om de Jeep heen staan. Toen de Kapitein mij in het oog kreeg, riep hij: 'Buseko! Vandaag gaat je wens in vervulling. Kijk eens wat ik voor je heb!'

Twee van mijn kameraden hielden een meisje van onbestemde leeftijd vast. Ze was lelijk noch mooi en reikte niet hoger dan de schouders van mijn kameraden. Onder haar vuile Pepsi-T-shirt zag ik twee bobbeltjes.

'Ze is van jou, Buseko. Ga je gang. Of moet een van ons eerst een demonstratie geven?' zei de Kapitein, onder luider gelach en gejuich.

Omdat ik het me allemaal toch anders had voorgesteld, vroeg ik aan de Kapitein of ik me met het meisje mocht terugtrekken in een van de hutten.

'Ben je bang dat je cobra zich niet op zal richten?' vroeg

de Kapitein. 'Of dat we je zullen uitlachen om je geklungel?' Maar hij verwachtte geen antwoord en gaf aan dat we ons mochten afzonderen in de dichtstbijzijnde hut.

Het meisje volgde mij gedwee, wellicht omdat ze mijn onzekerheid aanvoelde of omdat ze wist wat ons te wachten stond.

De opkomende zon verdonkerde de schaduwen in de hut. Het meisje leidde me naar een bedmat en ging liggen. Ik knielde neer tussen haar benen en probeerde mijn penis tot leven te wekken. Het meisje ging zitten en gaf aan dat ik mijn Zeep naast het bed moest neerleggen. Terwijl ik dat deed maakte ze mijn rits open en begon mij te strelen met haar kleine droge handen. Omdat alles nu was zoals ik het me had voorgesteld, aaide ik haar wang en vroeg haar naam.

'Ik heet Ntombene,' fluisterde zij.

'Mijn naam is Buseko,' fluisterde ik terug terwijl ik tussen haar benen voelde of ze gereed was.

'Wacht!' zei ze dwingend, alsof ze iemand anders aansprak. Toen spoog ze op haar vingers, maakte zichzelf nat en trok mij naar zich toe. Toen de kop van mijn penis haar onderlippen raakte hoorde ik een bekend gerinkel. Het waren de ringen aan de riem van mijn Zeep. Iemand had hem opgepakt. Toen ik omkeek zag ik twee kleine jongens. Hun wangen glinsterden in het stoffige licht. De kleinste kon nauwelijks het hakmes tillen dat hij in zijn hand hield. Zijn oudere broer had mijn Zeep vast en richtte de loop op mijn gezicht. Ik slaakte een woedende brul en probeerde zijn enkel te grijpen. Het eerste salvo stootte het jochie van zijn voeten. Ik voelde hoe de kogels stekend en jeukend mijn schouders en rug doorboorden. Terwijl ik probeerde op te staan voelde ik hoe Ntombene zich vastklampte aan mijn shirt en broek. Gillend en huilend kwam de kleinste jongen op mij af, hief het hakmes omhoog en sloeg in op mijn hoofd. Zijn op de grond liggende broertje loste nog een paar salvo's. Ik zag hoe de vertrouwde loop van mijn Zeep telkens flitsend omhoog sprong, twee, drie, vier keer.

Een treurige vermoeidheid trok door mijn lijf en ik zuchtte toen ik hoorde hoe Brenda begon te hoesten. Haar kogels scheurden door de muren van de hut en wierpen de jongens en mijn Zeep buiten het blikveld van mijn vermoeide ogen. Toen barstte de deur open en baadde ik in een verzengend licht, gevolgd door een kogelregen uit twee lopen die naast elkaar flitsten als de ogen van een demon.

Toen de eerste fotograaf ons vond, hadden duizenden vliegen zich al verzameld op onze lijken. Zijn camera flitste en klikte als een bezetene in het donker om de ingewikkelde puzzel van onze ledematen en onwillige grijnzen vast te leggen. Hij had zich de moeite kunnen besparen omdat hij allang wist dat onze doodsportretten ongeschikt waren voor het grote publiek.

Verder heb ik niet zoveel te vertellen, behalve dat ik niet echt dood ben. Ja, mijn lichaam werd losgetrokken van de puzzel en gevoerd aan de krokodillen in de rivier waarvan ik de naam ben vergeten, maar mijn geest leeft voort in de harten van mannen die gedreven worden door haat en angst en honger. Daarom zult u mij nimmer vergeten.

[...]

EH: Wat een bijzonder verhaal. U schrijft heel beel-
dend.

Deo: Dank u.

EH: Is het waargebeurd?

Deo: Gebaseerd op feiten.

EH: Ik neem aan dat u dit soort geweld vaker hebt meegemaakt tijdens uw loopbaan als journalist.

Deo: Ja. Je raakt eraan gewend.

EH: Ik heb begrepen dat u slecht slaapt.

Deo: Klopt.

EH: Heeft u weleens last van nachtmerries, angstbeel-
den?

Deo: Vaak. Ik schrijf ze van me af.

EH: U zegt dat u een 'pechmagneet' bent...

Deo: Mijn ongeluk lijkt een soort virus te zijn. Wie te
dicht in mijn buurt komt, wordt ermee besmet.
Daarom doe ik wat ik doe.

EH: U bent journalist. Dan komt u toch in contact met
mensen?

Deo: Inderdaad. Maar die mensen zitten toch al in de
hel.

EH: Leg eens uit.

Deo: Ik werk op plaatsen waar mijn ongeluk in het niet
valt naast het leed dat die mensen moeten lijden.

EH: Dat lijkt me vreselijk. Geniet u van uw werk?

Deo: Ik ben daar niet zo mee bezig.

EH: Hoe bedoelt u?

Deo: Het is niet het soort werk waar je van kan genieten.

EH: Ik begrijp het.

Deo: Da's fijn om te horen, dokter.

[...]

EH: U neemt in het verhaal een interessant standpunt in.

Deo: Hoezo?

EH: U schrijft het vanuit de jonge soldaat Buseko. Alsof u het verhaal van Roodkapje vertelt vanuit het standpunt van de wolf.

Deo: (Lacht) Zo zou je het kunnen zien.

EH: Identificeert u zich met Buseko?

Deo: Heb ik niet bij stilgestaan.

EH: Ik kom hier graag een volgende keer op terug.

Deo: Prima.

[...]

EH: Het komt niet vaak voor dat een gedetineerde twee boeken heeft gepubliceerd.

Deo: Slechtverkochte bagger.

EH: Ik heb het eerste al ten dele gelezen en vind het bijzonder boeiend. Mag ik aannemen dat het op de werkelijkheid berust?

Deo: Het is fictie.

EH: Dat heb ik begrepen. Maar zou het op feiten gebaseerd kunnen zijn?

Deo: Deels.

EH: Ik zou uw broer graag willen spreken. En uw moeder.

Deo: Ik heb geen contact meer met mijn broer. Mijn moeder is overleden. Mijn vader ook.

EH: Hoe heeft u dat ervaren?

Deo: Zo gaan die dingen.

[...]

EH: Had u vroeger ook last van woedeaanvallen? Er
         staat een aantal incidenten beschreven in uw eer-
         ste boek...

Deo: Ik kon vroeger slecht tegen onrecht.

EH: Dat lijkt me moeilijk in een land als Zuid-Afrika.

Deo: Klopt. Daarom ben ik hierheen gekomen.

EH: Maar u zult ongetwijfeld ook vaak onrecht zijn te-
         gengekomen in uw werk.

Deo: Je leert ermee leven. Ik leef ervan. En geduld heb-
         ben kun je leren.

EH: Leg eens uit.

Deo: Het is een integraal onderdeel van mijn werk. Je
         moet geduld hebben. Je kans afwachten. De risico's
         goed inschatten.

EH: Ik kom hier graag een volgende keer op terug. Zou
         u nog een aantal vragenlijsten voor mij willen in-
         vullen?

Deo: Wat heb je allemaal in de aanbieding?

EH: De NPV, NVM en, als u nog trek heeft, de TCI.

Deo: Smullen maar.

[...]

*Jammer genoeg kreeg obs pas na voltooiing van bovengenoem-
de onderzoeksinstrumenten uitleg over hun doel:*

*De Nederlandse Persoonlijkheids-vragenlijst (NPV) bestaat uit
140 stellingen waarbij obs moest aangeven of die juist of onjuist
zijn met betrekking tot hemzelf. Bijvoorbeeld: 'Ik ben vaak ze-
nuwachtig' of 'In een groep heb ik meestal de leiding'. Hiermee
worden zeven aspecten van de persoonlijkheid gemeten: inadequatie, sociale inadequatie (je kunt op meerdere vlakken inade-*

quaat zijn), rigiditeit, verongelijktheid, zelfgenoegzaamheid, dominantie en zelfwaardering.

De Nederlandse Verkorte MMPI (NVM) is afgeleid van de wereldberoemde Minnesota Multiphasic Personality Inventory (de grootste gekken proberen die naam heel snel, hardop, herhaaldelijk op te dreunen, dus pas op). Dit instrument kan verschillende soorten afwijkingen opsporen met slechts 83 vragen, die vijf factoren meten: negativisme, somatisatie (lichamelijke klachten die uit het geestelijke voortkomen), verlegenheid, psychopathologie en extraversie.

De Temperament- en Karakter-vragenlijst (TCI) bestaat uit 240 juist/onjuist-stellingen die verschillende temperament- en karakterschalen in kaart brengen. Aan het eind moest obs concluderen dat er minder uitputtende en tijdrovende manieren zijn om tot dezelfde gedegen conclusie te komen. Kijk maar: prikkelzoekend (jazeker! Een 9,5), leedvermijdend (kan dat? Een 3), sociaalgericht (niet echt. Een 5), volhardend (soms. Een 6), zelfsturend (nog steeds. Een 10), coöperatief (zelden. Een 3) en zelftranscendent (pardon? Een 5).

[...]

Verslag Eugène Hauptfleisch, psycholoog

Observandus heeft mij toegang verleend tot zijn schrijfsels. Obs beweert dat het grotendeels fictie betreft gebaseerd op waargebeurde ervaringen. De stukken lijken in niets op de incoherente schrijfsels van patiënten die lijden aan schizofrenie of andere psychotische aandoeningen. Inhoudelijk verschaffen de stukken een interessante inkijk in obs' geestesgesteldheid. De gewelddadige incidenten die beschreven staan (en het delict waarvan observandus verdacht wordt) lijken in sterk contrast te staan met de rust die obs tot nu toe uitstraalt tijdens zijn verblijf en onze gesprekken.

[…] Mogelijk heeft obs de traumatische ervaringen uit zijn jeugd en tijdens zijn werkzaamheden in zoverre onderdrukt dat deze alleen bij overmatig alcohol- en/of drugsgebruik tot uiting komen als woedeaanvallen. Dit onderwerp kwam ook ter sprake tijdens mijn telefoongesprek met zijn ex-vrouw, Jessica M. (JM; zie hieronder).

Toen ik JM verwittigde van de omstandigheden waarin haar ex-man zich bevond, toonde zij zich eerst geschokt en vervolgens geërgerd. Na mijn antwoord op haar vraag waarom obs in hechtenis is genomen, zei JM dat het haar 'niet verbaasde dat hij over de schreef was gegaan'. Toen ik vroeg waarom haar dit niet verbaasde, antwoordde zij dat ze het 'allang had zien aankomen'. Daaraan voegde zij toe dat obs zich schuldig maakte aan alcoholmisbruik tussen zijn buitenlandse opdrachten door (en wellicht ook tijdens deze). Hij was ook vaak somber en ging bijna dagelijks op stap, soms alleen en soms met een vriend die hij 'Malle Mick' noemde. JM vertelde dat dit de fotograaf was met wie obs vaak samenwerkte in het buitenland. Ik zal proberen om meer te weten te komen over deze collega/vriend tijdens mijn volgende sessie met obs.

Toen ik aan JM vroeg of obs zich ooit gewelddadig had gedragen tegenover haar of hun kinderen, antwoordde zij dat het gewelddadige gedrag van obs 'de laatste druppel' was geweest. Op mijn doorvragen hierop, erkende ze echter dat obs haar maar één keer 'echt heeft mishandeld'. Daarna gaf ze toe dat obs tot zijn mishandeling was gekomen nadat zij hem van achteren had geslagen met een eetkamerstoel. Obs had haar vervolgens geduwd en vastgepakt toen ze hem een tweede keer met de stoel wilde slaan.

JM vertelde ook dat ze vaak ruzie had gehad met obs over zijn obsessieve houding ten opzichte van zijn werk, maar ook over zijn afwezigheid en zijn vermeende weigering om 'aandacht te schenken aan zijn kinderen'. JM zei dat obs soms probeerde 'zijn beste beentje voor te zetten', maar dat hij ook regelmatig toegaf dat de kinderen waarschijnlijk 'beter af waren zonder hem'.

JM vertelde voorts dat obs geen moeite had gedaan om hun huwelijk te redden nadat zij een scheiding had aangevraagd. Obs heeft blijkbaar ook geen poging gedaan om contact te zoeken met haar of de kinderen toen ze na de scheiding verhuisden. Ondanks dit alles besloot JM met de opmerking dat obs 'geen slecht mens is' en dat zij hem 'het allerbeste toewenst'.

Toen ik haar vroeg wat haar in eerste instantie in obs had aangetrokken, antwoordde zij dat zij hem 'fysiek aantrekkelijk, komisch en spannend' had gevonden, en dat de minder prettige

kanten van zijn karakter en werk pas later duidelijk werden.

JM heeft toegestemd dat ik contact met haar
opneem mocht ik verdere vragen hebben over
obs' karakter en werk. Ze heeft ook toegestemd
dat haar kinderen door een referentenonderzoe-
ker worden geïnterviewd. De kinderen zijn op de
hoogte van obs' huidige omstandigheden.

Gezien het functioneren en de intellectuele ver-
mogens van obs lijken er geen aanwijzingen te
zijn voor hersenorganische afwijkingen. Er lijkt
dus geen aanleiding te zijn voor aanvullend neu-
ropsychologisch onderzoek, hoewel het raadzaam
is om verder onderzoek te doen naar de aard en
mate van drank- en/of drugsverslaving.

Nogmaals vraag ik toestemming om dit verslag te
delen met obs, die nog steeds grote delen van de
dag en nacht zit te schrijven in zijn cel.

[...]

Er wordt op de deur geklopt. Het is Claudio, de psychomo-
tore therapeut, een kleine mediterrane badmeester die
zijn donkere haar tot een puntdak heeft geboetseerd. Hij
wil weten of ik een balletje kom trappen op de luchtplaats.
Hoe heilzaam.

'Mag daar gerookt worden?' Mijn vraag verrast hem
duidelijk.

'Jazeker. Ik wist niet dat u rookte,' zegt hij.

'Als ik sigaretten heb.'

'Ik rook zelf niet, maar ik zal het aan Bobby vragen. Kom mee. Gezellig.'

'Ik ga niet voetballen.'

'Hoeft ook niet. Zie maar. Wilt u geen jas aan?'

Ik trek mijn jas aan en we lopen samen de gang op.

'Heb je de sleutel? Gebruik 'm dan.'

Ik loop terug en doe mijn eigen cel op slot.

'U was nog niet buiten geweest, toch?'

'Nog niet, nee.'

'Jezusmina, ik zou helemaal doordraaien als ik... Goed dat u meegaat.'

Op de groep zit Bobby te kaarten met drie mannen. Hij staat meteen op en roept enthousiast: 'Wie we daar hebben! Meneer De Heer! Wat goed!'

[...]

IW-Claudio wist observandus voor het eerst de slangenkuil in te lokken met de belofte van een sigaret.

Obs reageerde rustig op de kaartclub bestaande uit Shark, Num en Draadbek, die hun plaats boven aan de pikorde bevestigen met het alleenrecht op het verstrekken van bijnamen.

Obs' schatting dat de kaartclub samen goed is voor dertig jaar achter de tralies zal aan de lage kant blijken te zijn. Shark, een kaalgeschoren reus van een jaar of vijftig, met tattoos die als een kraag uit zijn T-shirt steken, zit al meer dan de helft van zijn leven vast.

Nummertje of Num, de sidekick van Shark, heeft het ingevallen smoelwerk en de wilde ogen van een junk. Hij oogt veel ouder dan zijn achtentwintig jaar, maar dat krijg je als je op je dertiende al in een jeugdinrichting bent beland. Hij en Shark worden samen geobserveerd omdat ze al drie keer samen zijn veroordeeld.

Bovenstaande informatie werd weken later aan obs verstrekt door Draadbek, een kalende vijftiger die in de bieb werkt, waar de wetten van de zwijgplicht minder streng worden nageleefd. Zijn stalen beugel is een verhaal apart.

[...]

Voordat ik Bobby's hand kan schudden begint Shark al te zingen: *'Déé-ooo, Dé-é-é-ooo!'* Num valt meteen in en ze zingen samen: *'Daylight come and we wanna go ho-oom!'* Draadbek lacht snuivend door zijn neus, als een stoomlocomotiefje.

'Wat hadden we nou afgesproken, heren?' zegt Bobby. 'We zouden toch een beetje aardig zijn voor elkaar?'

'Jezus, zeikerd, het was maar een gebbetje,' zegt Shark.

'Vloeken mag al helemaal niet...' zegt Bobby.

'Nee-nee, Sharkie, dat mag niet,' roept Num.

'Jij moet helemaal je kop houden, lul!' blaft Shark.

'Mannen, mannen, kom, laten we verder kaarten,' sust Bobby.

'Heb jij sigaretten bij je?' vraagt Claudio aan Bobby.

'Hier,' mompelt Draadbek en haalt een pakje Marlboro uit zijn bovenzak.

Claudio probeert nog tegen te stribbelen maar Draadbek weet van geen wijken. Hij opent het pakje en schud een trosje sigaretten los en biedt ze aan. Ik twijfel even maar stap dan naar voren en pak er een.

'Aansteker heeft Henk,' mompelt Draadbek. 'Buiten.'

'Bedankt,' zeg ik.

'Zijn we klaar, meisjes?' zegt Shark. 'Kunnen we deze slachtpartij even afmaken?'

[...]

Obs gaf gewillig een hand aan alle mede-observandi waar IW-Claudio hem aan introduceerde. Hij besloot zijn geheugen te sparen totdat hij hun bijnamen te horen kreeg, anders zou niemand weten over wie hij het had.

Obs zag hoe de ogen van zijn mede-observandi steeds de achterliggende ziel verraadden: de wegkijkers, voor altijd afwezig; de staarders, immer waakzaam; de knipperaars, bezeten door angst; de glinsteraars, overmand door emotie; de doden, belust op de levenden.

Obs merkte hoe de pingpongtafel twee tuinen werd, gescheiden door een hek, waarover twee wolven een lammetje heen en weer tikten.

Obs glimlachte toen de buitendeur als een bezetene kermde.

[...]

Op de luchtplaats, een betonnen pleintje, wordt gevoetbald. Dat wil zeggen, Henk en een lange kale man met portofoon tikken de bal tussen drie rokende pionnen naar elkaar toe, terwijl Cornelius de bal probeert af te pakken.

Als Claudio Henk roept, ziet Cornelius zijn kans. Hij

grijpt de bal en komt direct op me aflopen, zijn armen met de offerande voor zich uitgestrekt.

'Da's hands, Cor!' roept Henk.

'De Goddelijke!' roept Cornelius. 'De Goddelijke moet de bal hebben!'

'Hier die bal!' roept de lange kale man en slaat de bal uit Cornelius' handen.

'Greg! Greg! Greg!' roept Cornelius terwijl hij springend de bal probeert terug te pakken. 'Cor! Cor! Cor!' roept Greg terwijl hij op ons afloopt met de bal hoog boven zijn hoofd.

'Dit is Greg. Je zou het niet zeggen, maar hij is ook IW'er,' zegt Claudio.

'Hartelijk dank, collega,' zegt Greg. 'Goed om u buiten te zien, meneer De Heer.'

'Dat is de Goddelijke!' roept Cornelius.

'Hier Cor,' zegt Greg en trapt de bal met een hoge boog naar de overkant van de luchtplaats. Cornelius rent er meteen achteraan.

Henk komt erbij staan en ziet de sigaret in mijn hand. 'Wilt u een vuurtje?'

'Nee, hij wil een helikopter en een haciënda op de Bahama's,' zegt Greg.

Terwijl Henk mijn sigaret aansteekt zie ik hem 'lul' mimen naar Greg.

'Henk is de enige met een aansteker,' zegt Claudio. 'Anders hebben we om de dag de brandweer op de stoep. Zullen we effe een stukkie lopen, anders wordt u steeds lastiggevallen.'

Ik trek de rook mijn longen in. Voel de nicotine meteen mijn hart en hoofd in suizen, tintelend door mijn armen en benen. Ik stop even.

'Lekker?' vraag Claudio. 'Ik zie u rillen van genot. Had ik ook gisteravond. Man, man, man, wat een lekker wijffie.'

Hij probeert me uit mijn tent te lokken. Ik besluit niet te reageren.

'Ze lijken steeds gewilliger te worden naarmate ik ouder word. Ik dacht dat dat oude-fietsverhaal alleen voor vrouwen gold, maar op een oude herenfiets willen de dametjes het ook wel leren!'

'Heb je de verkeerde opgehaald?' vraag ik.

'Hoezo?' vraagt Claudio.

'Ik zit hier niet voor een zedendelict,' antwoord ik.

'O...' Hij valt even stil en gooit het dan over een andere boeg. 'Maar u weet wel dat u hier verdacht bent als u op uw kamer blijft? Dan denken ze dat u een pedo bent. Een pedofiel.' Hij spreekt het woord met zorg uit. 'De pedo's blijven meestal op hun kamer. In de bajes zijn ze het laagste van het laagst. Uitschot. Hier ook. Hou daar rekening mee.'

[...]

Obs heeft zijn eerste uitje in de slangenkuil overleefd, maar wil liever geen maandabonnement nemen.

Obs laat zich niet uit zijn tent lokken, omdat hij precies weet waar de klepel hangt, hoe de vork in de steel zit, hoe het koekje kruimelt, hoe de moordenaar het meisje wurgt.

Obs is ervan verwittigd dat hij een afspraak met een internist heeft om zijn obstipatie te bespreken, die als een zware steen in zijn maag hangt.

Obs heeft zich teruggetrokken op zijn kamer omdat hij een hoop van zich af moet schrijven.

[...]

Ik wil graag mijn wereld voor u schetsen. Een wereld die steeds kleiner lijkt te worden, totdat hij precies op deze pagina's past. Dat is handig omdat ik toch een laatste poging wil wagen om u te overtuigen, om de dingen aan u te verduidelijken en er zodoende voor mezelf een helder eind aan te breien.

Even voor alle duidelijkheid, ik heb het echt tegen u, beste lezer. U, ja, waarschijnlijk zittend op uw doorsnee-bank of leunstoel, in uw doorsneewoninkje, of wellicht in bed of bad, of op een zonnig strand, misschien zelfs op de plee, waar u zich overgeeft aan een potje onwelriekend leesgenot. Hoe of waar dan ook, ik heb het echt tegen u.

Waarom, zult u zich afvragen. Wat moet u met mij, meneer?

Eerlijk gezegd is daar geen simpel antwoord op te geven. Wat ik wel weet is dat het door u komt dat ik hier in het halfdonker in mijn cel zit te krassen. Ik kan mijn verhaal nergens anders kwijt dan bij u. Kortom, u bent zowel mijn kwelgeest als mijn biechtvader, vervloeker en verlosser. Dat komt omdat ik ooit een eenzijdige verbintenis met u ben aangegaan. Toen ik schrijver werd. Daar heeft u weinig van gemerkt vermoed ik, maar daar zal spoedig verandering in komen als u doorleest. Wellicht is dat de crux: omdat u leest moet ik schrijven. Vraag en aanbod, dat is de aard van onze verbintenis.

Misschien kom ik hier nog op terug. Er valt namelijk veel meer over te zeggen, maar dat wordt me nu even te ingewikkeld. Snel terug naar mijn steeds kleiner wordende wereld.

Welkom in het Instituut voor Forensische Observatie. Ik zit hier niet voor mijn plezier of omdat ik met een diepgaande reportage bezig ben. Integendeel. Ik word hier onderzocht. Ik ben verdachte. Ik heb een eigen cel. Dat is minder erg dan het klinkt, vooral omdat ik toch al vaak op mezelf ben, maar ook omdat deze vrijheidsberoving mij van de straat houdt, weg van allerlei afleidingen en verlokkingen, waardoor ik ruim de tijd heb om alles op een rij te zetten. Bovendien is dit een bijzonder boeiende omgeving, waar ik dagelijks in contact sta met figuren van het soort dat waarschijnlijk uw ergste nachtmerries bevolkt. Dat is kortzichtig van u, maar daar kunt u niks aan doen, omdat u van jongs af aan via allerlei kanalen bent volgepropt met angstaanjagende verhalen en beelden van ontsnapte gekken die niks liever willen dan u verkrachten, vermoorden, villen en verorberen. Ik kan verklappen dat u daar heel erg uw best voor zou moeten doen. U loopt duizendmaal meer risico als u in een auto stapt. Maar ik weet inmiddels hoe moeilijk het is om u op andere gedachten te brengen. Dat ga ik dan ook niet proberen.

Anderzijds kan ik natuurlijk niet ontkennen dat hier figuren zitten die Charles Manson de stuipen op het lijf zouden jagen. Rauw en dierlijk en gespeend van ieder moreel besef. Gelukkig ben ik daar allang aan gewend. Ik ben ze veel te vaak tegengekomen in de strijdperken en rampgebieden die ik in de loop der jaren namens u heb afgestruind. Daar hebben dit soort mannen vaak de leiding, simpelweg omdat ze slimmer, sneller, sterker en meedogenlozer zijn. In uw omgeving zal hetzelfde gelden, wellicht in mindere mate omdat er meer regels gelden die u beschermen tegen dit soort figuren. Maar o wee als die regels komen te vervallen of als zij zelf de regels mogen maken. Ik zeg '40-'45 en dan weet u al genoeg.

Maar neemt u vooral niks van mij aan, want ik hoor er zelf een beetje bij. Ook ik ben slim en snel en sterk en enigszins roekeloos, maar niet gespeend van mededogen. Dat geldt trouwens evenzeer voor anderen hier. Het zou u verbazen hoeveel saamhorigheid en onderling begrip hier heerst. Het is hartverwarmend om in een kring te zitten met een stel instemmend knikkende lieverdjes, die aandachtig luisteren terwijl een van hen op kalme toon een nachtmerrie onthult met een bizarre logica, waarbij de verwikkelingen door elkaar heen lopen als de slierten in een bord spaghetti. En ook dat is heel herkenbaar. Ik heb het overal gezien en gehoord, het geldt voor mijn eigen leven, en wellicht voor dat van u. De werkelijkheid laat zich niet in het keurslijf van de logica dwingen. Omdat er simpelweg te veel factoren, krachten en toevalligheden zijn die haar bepalen.

Maar nu dreig ik alweer af te drijven. Rustig aan. Eerst even uitleggen hoe het er hier aan toegaat. Het draait allemaal om toerekeningsvatbaarheid. Dat is wat ze hier proberen vast te stellen. In hoeverre zijn onze daden ons aan te rekenen? Ik heb inmiddels begrepen dat daar verschillende gradaties in zijn, die ieder weer hun eigen gevolgen hebben bij de rechtsgang. Degenen die volledig beseffen wat ze doen en waarom, die de consequenties van hun daden kunnen overzien, worden geheel toerekeningsvatbaar geacht. Aan het andere uiteinde zijn de mannen die leven in de kelder met de pratende schimmen, die de werkelijkheid en hun eigen gedachtewereld of fantasieën niet meer uit elkaar kunnen houden. Daar tussenin zitten dan nog de enigszins verminderd, de verminderd en de sterk verminderd toerekeningsvatbaren. Een bont gezelschap, dat niet altijd even makkelijk van elkaar te onderscheiden is.

De meesten weten dat ze hier niet voor niks zitten en dat de maatschappij het liefst helemaal van ze af zou willen zijn. Maar dat kan nou eenmaal niet. Er moet voor ons gezorgd worden. We moeten de kans krijgen ons weer in de maatschappij te voegen. Maar eerst moet er rechtgesproken worden. Daarna de straf en dan de rehabilitatie. Ik geef het u te doen, voorspellen wie hier van het pad zal afdwalen. Ieder heeft zijn eigen geschiedenis, van binnen en van buiten, zijn eigen zak vol stenen om te dragen. Dat wordt pas duidelijk als je ertussen zit. Helden zijn het soms, die ondanks alles voor het leven hebben gekozen, die doorgaan waar anderen allang het hoofd te rusten hadden gelegd. De sterkste en gevaarlijkste strijders die onze soort ooit heeft voortgebracht. Maar wellicht ga ik nu te ver.

De verleiding is groot om een aantal categorieën aan te wijzen. Er zitten bijvoorbeeld figuren bij die de gevolgen van hun daden prima kunnen overzien, maar geen barmhartigheid of begrip voor hun slachtoffers kunnen opbrengen. Deze mannen – de psycho- en/of sociopaten – zijn echter wel zo slim om dit achter een sociaal-wenselijk maskertje te verbergen. Ze kennen de regels van het spel maar al te goed en willen graag bewijzen dat ze alles op een rijtje hebben, omdat ze dan weliswaar een flinke gevangenisstraf moeten uitzitten, maar wel zicht hebben op vrijlating.

De nieuwste in deze categorie heet Warschau. Hij wurgde zijn vrouw en twee kinderen zodat hij kon gaan rampetampen met een of ander tienergrietje dat onder het Roestige Gordijn was doorgekropen. Warschau praat en kleedt zich als een handelsreiziger en vertelt zijn verhalen met de koele nauwgezetheid van een accountant die zijn gehoor op een kosten-batenanalyse vergast. Onbewogen somt hij feit na feit op, een relaas zonder haperingen, behalve als hij even peinzend met zijn onderlip wat nieuws uit zijn blonde snor moet sabbelen. Straks staat hij voor de rechter, en dan draait hij de bak in, maar na verloop van tijd zal hij weer vrijkomen.

Aan het andere uiteinde zitten de schizofrenen. Mannen als Tweety bijvoorbeeld, die de hand van zijn vrouw er afhakte omdat ze het vogeltje in zijn hart probeerde te stelen. Prachtige symboliek natuurlijk, maar voorlopig gaat hij helemaal nergens heen. Vooral omdat hij het spel niet vat. Als dat wel zo was, zou hij het op de drank of drugs gooien en beloven dat hij zijn leven zou beteren. Maar dat doet of kan hij niet, waardoor hij als de vleesgeworden ontoerekeningsvatbaarheid geldt. Daarom krijgt hij fijne medicijnen voorgeschreven en mag hij tot zijn dood eenvoudige handarbeid gaan doen in een van de prachtige gestichten van ons koninkrijk.

De overgrote meerderheid hangt daar ergens tussenin en draagt meerdere stenen met zich mee, zoals ontwikkelingsachterstanden ('de dombo's'), seksuele afwijkingen ('de sicko's'), verslavingen ('de slikkers en spuiters') en trauma's ('de drama's').

Had ik al gezegd dat we allemaal geweldsdelicten hebben gepleegd? Daar valt dus weinig voordeel uit te halen. Iedereen is hier gevaarlijk, maar toch is er een duidelijke pikorde, die helemaal losstaat van toerekeningsvatbaarheid.

Bovenaan staan de psycho's, daaronder de trauma's en verslaafden, dan de dombo's en de schizo's, op grote afstand gevolgd door de sicko's.

Ik zit dus net onder de top en heb bovendien een streepje voor omdat sommigen mij voor God aanzien, al dan niet gekscherend. Het is bijna onmogelijk om daar geen misbruik van te maken, omringd door zovelen die van god los zijn.

[...]

Er wordt op de deur geklopt. 'Yo, Goddelijke, mag ik Uw hemel betreden?' roept Greg vanaf de gang. Als hij binnen is, vertelt hij dat ik naar de arts mag. 'Kont...role,' zegt hij. Ik zeg dat hij ontzettend grappig is. Dat hoort hij graag.

'Nee, u bent leuk. Een beetje de hoofdjes op hol brengen met de belofte van een nieuwe heiland op aarde.' Hij vindt zichzelf te slim voor dit werk, vermoed ik. 'Ik ben vandaag Uw Mozes. Ik zal de Rode Zee des Duivels voor U klieven, Heer. Daar komt Sint Cornelius al aan gesneld. Neen, goede Cor, houd afstand zodat de Goddelijke zijns weegs kan gaan.' Cornelius druipt af als Greg zijn twee vingers heft als Jezus die een zegen uitspreekt.

'Ga nou niet met die man lopen sollen, Greg,' roept Henk vanaf de groep, waar hij met Shark, Num en Draadbek zit te kaarten.

'Uw wil geschiedde, Sint Hendrik,' zegt Greg.

'Mafkees,' mompelt Henk.

'Hij zegt dat je een mafkees bent!' roept Num.

'Wat je zegt ben je zelf,' roept Greg over zijn schouder. Aan tafel wordt er hard gelachen om de voor ons onhoorbare riposte van Henk.

'Henk zegt...' Num krijgt de kans niet om zijn zin af te maken. Shark heeft hem bij zijn oor vast. 'Auw-auw-auw-auw!' kermt Num.

'Greg!' roept Henk, die al aan het stoeien is met Shark.

'Tyfus,' sist Greg en loopt snel op de stoeiende kluwen af.

'Klaar! Sjaak! Klaar!' roept Henk. Shark laat los, staat meteen op en loopt naar zijn cel toe.

'Godverdegodverdegodver,' mompelt Num, die met beide handen zijn pijnlijke oor bedekt.

'Even kijken,' zegt Greg en haalt Nums handen weg. 'Geen bloed, al goed.'

'Gooi effe de vlam in de pan, Greg,' zegt Henk.

'Nee, jij bent lekker bezig,' bijt Greg terug. Hij loopt op me af. 'Waar waren we, Goddelijke, voordat het gepeupel onze gang naar de heelmeester belette?'

Als we de hoek om zijn zeg ik: 'Jullie moeten elkaar niet zo afzeiken als die jongens in de buurt zijn. Dat kaatsen ze allemaal terug.'

Greg kijkt me, al lopend, verbijsterd aan. 'Als de Goddelijke spreekt...'

'En daar moet je ook mee ophouden. Alsjeblieft,' onderbreek ik hem. 'Ik ben hier waarschijnlijk de enige die jouw grappen begrijpt. Als wij samen lachen dan denken ze dat ik word voorgetrokken. Dat is niet handig voor mij, maar ook niet voor jou.'

'Wat een wijsheid,' zegt Greg.

'Ik wil je niet kwetsen, Greg. Ik wil hier gewoon levend vandaan.'

'Bent u bang? Dat weet u dan goed te verbergen.'

We staan voor de deur van de spreekkamer.

'Weet jij wat er in die hoofden omgaat?' vraag ik.

'Straks denkt er een dat ik voor zijn zonden moet sterven. Of dat ik een valse god ben. Weet ik veel.'

'Zo had ik het nog niet gezien,' zegt Greg.

'Als je met je favoriete hond wilt spelen, moet je dat niet doen waar de hele roedel bij is. Dan loopt het uit de hand.'

'Daar ga ik over nadenken, meneer De Heer,' zegt hij. 'Bel maar als ik u moet halen.'

'Bedankt. God zij met u,' fluister ik.

Hij lacht. 'Amen.'

[...]

Dr. Harry is een vriendelijke bal op leeftijd. Hij heeft een rode broek aan, gaatjesschoenen en een ribfluwelen colbert, alsof hij door een castingbureau is opgetrommeld. Hij kijkt naar mijn dossier: 'Meneer De Heer... De heer De Heer!' Hij lacht om zijn eigen grap en schudt mijn hand. 'Had ik u al eerder gezien? Nee, zo'n naam had ik wel onthouden,' zegt hij.

'Ik ben kort voor mijn overplaatsing in de bajes onderzocht,' leg ik uit.

'Dat lees ik, ja. Waarmee kan ik u van dienst zijn?' Hij kijkt me voor het eerst echt aan. 'En waar is uw begeleider?'

'Er was een akkefietje op de groep. Hij komt zo terug. Maar de stemmen in mijn hoofd zeggen dat ik ongevaarlijk ben.'

Zijn wenkbrauwen dansen op zijn voorhoofd van verbaasd naar streng en uiteindelijk naar ontspannen als hij ziet dat ik een grap maak. 'Humor! Ik schrijf het er even bij. Dat is een teken van goede gezondheid.'

'Ik heb last van obstipatie,' zeg ik.

'Bijzonder vervelend. Slikt u iets? Pillen bedoel ik.'

'Niet dat ik weet.'

'Da's een goeie!' lacht hij. 'Ik zie niks staan hier. Ik geef u twee pillen mee. Als die niet helpen moet u maar een keer terugkomen.'

'Wat kan ik verwachten?' vraag ik.

'Zorg dat u altijd binnen vijftig meter van een toilet blijft.'

'Niet op de luchtplaats dus?'

'Dat lijkt me niet zo hygiënisch,' lacht hij. 'U voelt het wel aankomen. Maakt u zich vooral geen zorgen.'

[...]

Observandus is nogal gehecht aan zijn eigen stront, ondanks het ongemak. Het vasthouden is in den vreemde begonnen, waar loslaten een niet te onderschatten gevaar kan zijn.

Obs ontdekte ook dat zijn obstipatie hem in huiselijke kring steeds een excuus gaf om zich langdurig af te zonderen op het toilet, alwaar hij met een bevroren bips aantekeningen maakte voor zijn romans.

Obs merkt dat hij de ontstoppers niet durft in te nemen omdat hij bang is dat de strontstorm niet meer te stoppen is, als een eindeloze nies- of hoest- of huilbui die een normaal leven onmogelijk maakt.

Obs neemt daarom steeds genoegen met een zwaarbevochte keutel, die als een compact en afgerond hoofdstuk kond doet van zijn opgekropte verhaal.

[...]

Deo: Wat is er met je gezicht gebeurd?

EH: Van de fiets gevallen.

Deo: Auw. En ik had je nog zo gewaarschuwd.

EH: Waarvoor?

Deo: Mijn besmettelijke pechvogelgriep.

EH: Dat meent u echt, hè?

Deo: Ja.

EH: Daar hebben we het al eens over gehad. Ik vind het bijzonder intrigerend. Het is ook een belangrijk thema van uw eerste roman.

Deo: Fictie, Eugène, fictie.

EH: Ja, maar u zegt net dat u het echt meent. Dat u mensen denkt te besmetten met uw ongeluk.

Deo: Dat klopt.

EH: Ik heb de tweede ook inmiddels uit. Bijzonder boeiend, maar daar kom ik zo nog op terug.

Deo: (Lacht) Prima.

EH: Hoe kijkt u terug op uw jeugd?

Deo: Met gemengde gevoelens.

EH: Geldt dat ook voor de band met uw broer?

Deo: Absoluut.

EH: Zou u dat kunnen toelichten?

Deo: Dat kan ik zeker, Eugène. Mijn broer was zeer zorgzaam en heeft me vaak behoed voor ergere ongelukken. Maar hij handelde vaak uit eigenbelang. Eigenlijk zou hij het liefst helemaal van mij verlost willen zijn. Dat is 'm dan ook uiteindelijk gelukt.

EH: Weet u dat wel zeker? We hebben hem nog steeds niet kunnen traceren, anders zou ik het hem zelf vragen.

Deo: Dat maak ik op uit zijn handelingen. Ooit, toen ik gewond raakte, half verlamd, wou hij me dumpen, op de post doen naar huis, zodat hij niet voor me zou hoeven zorgen. Dat is enerzijds begrijpelijk, maar ook pijnlijk. Het zet druk op het wederzijds vertrouwen, zal ik maar zeggen.

EH: Dus dat verhaal is waar? Het staat ook in uw eerste roman.

Deo: Wat is de waarheid, Eugène?

EH: Misschien moet ik het anders formuleren. Ik vermoed dat u in uw jeugd een aantal traumatische gebeurtenissen heeft beleefd die uw daaropvolgende leven hebben gekleurd en nog steeds als een rode draad door uw leven lopen, uw beslissingen en gedrag bepalen. Zou dat kunnen kloppen? Dat is wat mij interesseert en dat is van belang voor mijn onderzoek hier.

Deo: Duidelijk. Het antwoord is: ja, uiteraard.

EH: Ik zou het graag daarover willen hebben.

Deo: Prima.

EH: Hoe heeft u bijvoorbeeld het overlijden van uw vader ervaren?

Deo: Hij was geen vast onderdeel van mijn jeugd, omdat hij er meestal niet was.

EH: Dat is geen antwoord op mijn vraag.

Deo: Ik vond het geen groot verlies omdat hij er toch meestal niet was. Duidelijker?

EH: U was er niet rouwig om? Heeft u niet moeten huilen?

Deo: Niet dat ik me kan herinneren.

EH: En uw moeder? Hoe heeft u de dood van uw moeder ervaren?

Deo: Ook zij was allang geen vast onderdeel meer van mijn leven toen ze overleed. Ik beschouwde het dus niet als een groot verlies. Bovendien hadden we niet bepaald een warme band met elkaar.

EH: Speelde dat door in uw verhouding met uw kinderen?

Deo: Dat weet ik niet en daar wil ik het liever niet over hebben.

EH: Duidelijk. En de dood van Dili, het kindje van jullie werkster? Hoe kijkt u daarop terug?

Deo: (...)

EH: U wordt er stil van. Hoe kijkt u daarop terug? Of is dat ook fictie?

Deo: Zullen we het ergens anders over hebben, Eugène? Ik wil niet steeds hetzelfde aan je uitleggen.

EH: Prima. Laten we het dan over uw tweede roman hebben.

Deo: Jezus, Eugène.

EH: Nog even voor alle duidelijkheid: het is niet mijn doel om u een loer te draaien of een bekentenis te ontlokken. Ons doel hier is om uw toerekeningsvatbaarheid vast te stellen ten tijde van het delict dat u ten laste is gelegd. Om dat te doen moet ik uw verleden onderzoeken. Voor mij zit een man die nauwelijks contact lijkt te hebben met familie en vrienden. Een man die zich lijkt af te schermen van intiemer contact om anderen en zichzelf in bescherming te nemen. Maar ook een man die boeken schrijft waarin een bewonderenswaardige barmhartigheid wordt getoond. In uw tweede boek bent u zelfs geliefd en bejubeld, uw vriendschap is bijna grenzeloos. Bent u die man, meneer De Heer?

Bestaan die mensen echt? Uw homovrienden bijvoorbeeld?

Deo: Ja, die hebben echt bestaan.

EH: 'Hebben echt bestaan'?

Deo: Je hebt het boek toch gelezen? De kappers zijn beiden aan aids gestorven.

EH: Dus dat is waar? Wat triest. En die Guido dan? En Thierry?

Deo: Ik weet niet of ze nog leven. Ik ben ze uit het oog verloren. Ik geef je hun echte namen en de laatste adressen en nummers die ik van ze heb. Maar ik denk niet dat ze veel over mij kunnen vertellen, als je ze al kunt vinden.

EH: Als ze zich niet verstoppen vinden we ze meestal.

Deo: Al zij het op het kerkhof...

EH: Die vinden we vaak als eerste. Zullen we het nog even over je laatste verhaal hebben? Dat staat nog op mijn lijstje.

Deo: Valt er veel te bespreken?

EH: Eens kijken... drie, vier, vijf, zes vraagtekens zie ik staan. Ik vond het scherpzinnig en vermakelijk. U draagt zelf de onderwerpen aan. Dat maak ik niet vaak mee.

Deo: (Lacht) Er zit nog meer in de pen.

EH: Dat vermoedde ik al. Zullen we dan maar?

Deo: Prima.

EH: Daar gaan we. Heeft u genoeg licht hier? Om te schrijven, bedoel ik.

Deo: Ja. Hoezo?

EH: U schreef in uw stuk dat u in het halfdonker zit te krassen, vandaar.

Deo: (Lacht) Dichterlijke vrijheidsberoving, zal ik maar zeggen.

EH: (Lacht) Dan iets heel anders dat misschien van belang is. U schrijft dat uw verblijf hier u weg houdt van de 'verleidingen en verlokkingen van de straat'. Eigenlijk zegt u dat dat goed is. Klopt dat?

Deo: Ik ben zelden zo productief geweest.

EH: Ja, maar lijdt u misschien ook aan een drank- en/of drugsverslaving? Uw ex-vrouw zei ook al dat u stevig dronk. Dit zou van groot belang kunnen zijn wat betreft uw geestesgesteldheid ten tijde van het delict. Omdat u gevlucht bent heeft de politie hier geen onderzoek naar kunnen doen. We hebben alleen de getuigenverklaringen en daaruit wordt niet helemaal duidelijk of u onder invloed was.

Deo: Ik had stevig gedronken die avond en ik zat ook aan de malariatabletten.

EH: Lariam?

Deo: Ja.

EH: Ik geef dit door aan de psychiater. Zij zal het medische en neurologische deel van het onderzoek doen. Houd er rekening mee dat ze straks helemaal blind bij u de kamer binnenstapt. Ze leest in eerste instantie geen enkel verslag, zodat ze volstrekt onbevangen het gesprek met u kan aangaan.

Deo: Maar u ging die informatie toch aan haar doorgeven?

EH: Dat doe ik nadat ze u gesproken heeft. Ik hoop ook dat ze een behandeltraject voorstelt. Ik ben ervan overtuigd dat u daar veel baat bij zult hebben.

Deo: Een behandeltraject?

EH: Ik heb al een vermoeden hoe dit gaat aflopen en ik vermoed dat u verplicht zal moeten worden behandeld voor uw alcoholverslaving.

Deo: Ben ik ineens verslaafd?

EH: U zou verbaasd zijn wat daarvoor de criteria zijn. En het is niet noodzakelijkerwijs in uw nadeel, kan ik u verzekeren.

Deo: Goed, we wachten af.

EH: Dat brengt mij naar het volgende onderwerp. In uw stuk lijkt u zichzelf tot de getraumatiseerden te rekenen. Klopt dat?

Deo: Ik lijk in geen andere categorie te passen, behalve dan – sinds vandaag – de slikkers en spuiters.

EH: (Lacht) Dus ik zou voorzichtig kunnen concluderen dat u aan zekere trauma's lijdt? En dat u dat zelf ook inziet?

Deo: Daar hebben we het toch al over gehad? Laat ik het zo stellen: ik heb veel meegemaakt waar anderen een trauma aan zouden overhouden...

EH: Prima geformuleerd...

Deo: ... inclusief mijn verblijf hier.

EH: Hoe bedoelt u?

Deo: Is het nooit bij je opgekomen dat een verblijf hier zeer traumatisch zou kunnen zijn?

EH: Ik heb begrepen dat u steeds meer contact heeft met uw mede-observandi. Heeft dat een traumatiserende werking?

Deo: Ik vind het vooral boeiend, Eugène. Maar dat is waarschijnlijk ook ongezond.

EH: (Lacht) Dat is niet ongezond. Ik vind ze zelf ook boeiend. En u bent helemaal een geval apart!

Deo: Wat vleiend.

[...]

Verslag Eugène Hauptfleisch, psycholoog

[...] Obs' eerste roman gaat grotendeels over
zijn relatie met zijn oudere broer, Ysbrand,
waar obs inmiddels mee gebrouilleerd is. Obs kon
geen contactgegevens voor zijn broer verschaffen
omdat ze elkaar al vele jaren niet meer hebben
gezien. Wij blijven zoeken.

Een van de belangrijkste incidenten in het
boek betreft de verdwijning/dood van het zoontje
van de vrouw die in huis werkte bij de familie
De Heer. Toen ik obs vroeg over de rol die hij
en zijn broer hier mogelijk bij hebben gespeeld,
reageerde obs ontwijkend door te herhalen dat
het fictie was, terwijl hij net had toegegeven
dat het boek op waarheid berust. Het incident
ontlokte duidelijk een reactie bij hem, maar ik
besloot het te laten rusten zodat we er op een
ander moment op kunnen terugkomen.

Toen ik vroeg hoe het zat met zijn tweede
roman, die ik inmiddels ook heb gelezen, antwoordde obs dat de homo-vrienden in het boek
wel degelijk bestaan. Dit was uiteraard verrassend en verheugend, vooral omdat het moeilijk is
gebleken om referenten van obs te traceren. Ik
heb inmiddels contactgegevens van een aantal van
obs' kennissen.

Obs had ook een stuk geschreven dat ingaat op
zijn belevenissen hier op het instituut. Daarin
zegt hij: 'deze vrijheidsberoving [houdt] mij
van de straat, weg van allerlei afleidingen en
verlokkingen, waardoor ik ruim de tijd heb om

alles op een rij te zetten'. Dit leidde tot een gesprek over obs' alcoholconsumptie. Hij vertelde dat hij stevig had gedronken ten tijde van het delict maar dat hij tezelfdertijd malaria-tabeletten (Lariam) slikte. Het lijkt mij raadzaam dat de medische staf hier verder op ingaat. Ik heb obs laten weten dat een behandeltraject voor alcoholverslaving wellicht in het verschiet ligt, afhankelijk van de uitkomst van zijn rechtszaak.

In bovengenoemd stuk zegt obs ook dat hij zich als een van de 'getraumatiseerden' op het instituut beschouwt, deels omdat hij zich niet identificeert met enige andere categorie gedetineerden. Ik zal hier tijdens toekomstige sessies verder op ingaan.

Obs gaat steeds meer met mede-observandi om en zegt het 'boeiend' te vinden op het instituut maar mogelijk ook traumatiserend. Zijn belevenissen hier voeden hoe dan ook zijn pen, want hij blijft tot in de kleine uurtjes van de nacht schrijven.

[...]

Obs gaf zijn wenslijst telefonisch door aan advocaat Roel van Beveren, die vanaf obs' bankrekening snel geld voor etenswaren en activiteiten overmaakte naar het instituut. Een paar dagen later kwam Roel langs met een splinternieuwe televisie (klein model). Hij bracht ook de tondeuse en de discman van obs, en een drietal cd's van de artiesten Cash, Waits en Springsteen – die Roel 'de Huilige Drie-eenheid' noemde.

Obs bestelde meteen sigaretten en chocola bij Bobby en besloot
de tondeuse als ruilmiddel achter de hand te houden. Het is obs
namelijk opgevallen dat bij zijn mede-observandi de duur van
het verblijf vaak is af te lezen aan de lengte van hun haar. Alleen
het eerste bezoek aan de instituutskapper is gratis.

[...]

'Mag ik u wat vragen?'
Ik kijk op. Het is Opa. Hij staat als een schooljongen aan het bureau van de meester. Ik knik. Hij kijkt schichtig naar het kaartclubje en gaat zitten. Ik schud zijn uitgestoken hand, die zacht en koel en knokig is, zoals een opa's hand moet zijn. Vroeger moet het een mooie man zijn geweest, blond waarschijnlijk. Nu is hij grijs, rond de zeventig, schat ik. Achter zijn bril springen zijn blauwe ogen steeds onrustig omhoog om mijn blik te vangen.
'Vindt u het niet vervelend om met mij te praten?' vraagt hij. Hij praat bijna accentloos, als iemand die daar veel moeite voor heeft moeten doen.
'Ik weet nog niet wat u gaat zeggen,' antwoord ik.
'Vanwege mijn geschiedenis, bedoel ik. De anderen praten niet graag met mij. Niet dat ik ze wat te melden zou hebben, maar toch.'
'Voelt u zich verheven?'
'Integendeel. Ik voel me waardeloos.'
'U bent niet de enige, vermoed ik.'
'Voelt u zich ook waardeloos?'
'Was dat uw vraag?'
'Nee, ik wou vragen of u met mij wilde praten.'
'Dan heeft u uw antwoord al.'
'Inderdaad. Dank u wel.'

Hij kijkt even naar het kaartclubje. Zijn lichaam krimpt ineen. Shark zit naar ons te kijken. Num nu ook. Shark schudt zijn hoofd en grijnst. Hij maakt een grap. Num lacht. Ze kaarten verder.

'Zo'n vreselijke man,' fluistert Opa. 'Heel eng.'

'Shark?'

'Ja. Was het maar uit de weg.'

'Wat?'

'Dat pak slaag. Het zou fijn zijn als hij me gewoon doodsloeg of mijn keel doorsneed. Dat denk ik soms.' Hij ziet dat ik niet schrik. 'Eigenlijk zou ik dood willen, maar ik durf het niet.'

Ik knik. 'Dat kan ik me voorstellen.'

Hij huilt bijna. 'Ik ben u zo dankbaar.'

Ik knik en probeer verder te lezen.

'Ik ben geen slecht mens, meneer Deo. Mag ik u zo noemen?'

'Prima.'

'Ik heet Willem. Zeg maar Wim.'

'Prima, Wim.'

'Ik ben echt geen slecht mens, meneer Deo. Het begon als een spelletje...'

'Zullen we dit deel van het gesprek overslaan?'

Hij valt stil. Friemelt met zijn trouwring. Rijgt zijn vingers aaneen alsof hij wil gaan bidden maar steeds van gedachte verandert. De keus is nu aan hem: opstaan of doorgaan. 'Hoe komt u aan die intrigerende naam?'

'Zelfgekozen.'

'Hij past goed bij u.'

'Dank u.'

'U heeft wel iets goddelijks.'

'Ik kan u uw zonden niet vergeven.'

Hij lacht. 'Ik ben allang blij dat u met me wilt praten.'

'Daar heb ik ook baat bij.'

'Hoezo?' vraagt hij voorzichtig.

'Misschien wil ik wel een verhaal over u schrijven.'

'U bent journalist, toch?'

'Ik schrijf. Punt.'

'Een mooi beroep. Ik...'

'Wat zou u aan uzelf vragen als u mij was?'

Ik heb hem verrast. 'Welke vraag zou u mij moeten stellen, bedoelt u?'

'Ja.'

'Misschien: waarom wilt u dood?' probeert hij.

'Daar weet ik het antwoord al op. Dat is niet verrassend.'

'U overvalt me een beetje. Mag ik er even over nadenken?'

'Gaat uw gang.' Ik doe alsof ik verder lees, maar ik ben benieuwd.

'Misschien kunt u vragen of ik zelf ook mishandeld ben?' oppert hij.

'Waarschijnlijk wel. Is ook niet echt interessant,' zeg ik.

Hij knikt en valt weer stil. Steeds lijkt hij wat te willen zeggen maar houdt hij in. 'Dit is echt ontzettend moeilijk. Ik kom steeds uit bij vragen die mij de ruimte bieden om uit te leggen wat ik heb gedaan.'

'U heeft uw kleinkinderen seksueel misbruikt, toch?'

Hij knikt weer en denkt verder. 'Misschien ben ik gewoon een hele saaie man die een grote fout heeft begaan. Misschien is dat het enige wat mij interessant maakt.'

'Het zou kunnen.'

'Vroeger wou ik dompteur worden.'

Ik lach.

'Met zo'n zweep en een rood jasje.'

'Maar dat bent u nooit geworden?'

'Nee, ik werd controller bij een verzekeringsmaat-schappij.'

'Dan bent u dubbel belast,' lach ik.

'Ja, ik ben saai en verwerpelijk.' Hij staat op. 'Mag ik bij u terugkomen als ik een goede vraag voor mezelf heb ver-zonnen?'

'Dat mag.'

'Ik ben u zeer dankbaar, Meneer Deo,' zegt hij en loopt met vastberaden tred langs het kaartclubje de gang op naar zijn cel.

[...]

Het heeft nauwelijks moeite gekost. De deur staat nu wa-genwijd open. Het is gewoon een kwestie van afwachten. U begrijpt toch hoe dit werkt, beste lezer? Hoe makkelijk het eigenlijk allemaal is? Moet ik het uitspellen? Zij wil-len allemaal hetzelfde. Net als u. 'Wat is dat dan, meneer Deo?' hoor ik u roepen. Aandacht. En ik kan dat geven. Net als God. Want Hij luistert ook altijd. Daarom bidden men-sen zo graag. Niet zozeer omdat ze geloven dat God hun zonden zal vergeven of hun leven zal redden of hun gelief-den zal beschermen. De meesten hebben al snel door dat dat niet zo is. Sommigen proberen het bewijs te negeren, maar voor de meesten is het duidelijk dat hun Almachtige niet in staat is iets voor hen te doen. Maar ze blijven gelo-ven omdat hij wel altijd luistert. En dat is al voldoende: die aandacht, het luisterende oor dat overal te vinden is. Het grote verschil tussen u, beste lezer, en de mannen hier is dat u die aandacht waarschijnlijk uw hele leven lang hebt genoten. Of misschien ook niet, of in mindere mate. Het is een glijdende schaal. Als je te weinig hebt gehad, dan blijft de drang naar aandacht sterk. Het is eigenlijk net als honger. Maar de honger naar aandacht kan een leven lang duren. Soms is het niet te stillen, vooral als het heeft ontbroken in je jeugd. Dan verzin je onbewust van alles om die aandacht te krijgen. Je slaat bijvoorbeeld mensen op hun bek of je berooft ze. (Heb ik nu uw aandacht?) Je wordt gevangen genomen en ondervraagd. (Hè, hè, eindelijk aandacht.) Je krijgt een advocaat toegewezen. (Iemand wordt betaald om naar jou te luisteren!) Je wordt voorgeleid in een rechtszaal. (Iedereen heeft het over jou!) En dan word je veroordeeld en moet je brommen. (Beng! Weg aandacht.) Had u nog vragen over de grote mate van recidive onder criminelen, beste lezer? Waarom sommigen nooit hun lesje leren? Het is een vreselijke verslaving, de behoefte aan aandacht, en ik ben hier hun dealer. Ik deel het gratis uit. Althans, dat denken ze. Let maar op.

Het is plaspauze bij de kaartclub. Shark is even weg en Nummertje maakt meteen van de gelegenheid gebruik. Hij gaat tegenover me staan en leunt op de tafel. De woorden 'LOVE' en 'HATE' staan op zijn knokkels getatoeëerd. Kan het nog voorspelbaarder? Ja, dat kan.

'Waar had je het over met die gore klootzak?' vraagt hij. De huid om zijn neus lijkt te verschrompelen van walging, trekt zijn dunne wenkbrauwen mee en ontbloot zijn verrotte gebit. Zijn adem ruikt naar banaan. Niet onprettig.

'Ben je rechts- of linkshandig?' vraag ik.

'Rechts. Hoezo?' Hij maakt een vuist met zijn LOVE-hand.

'Dus je bent meer van de liefde?'

'Hoezo?'

'Rechts is je sterkste hand. En daar staat LOVE op.'

Hij kijkt naar zijn vuist. 'Ja. Zo had ik het nog niet gezien.'

'Maar dat is ook je wapenhand.'

'Mijn pistoolpoot, ja,' lacht hij.

'Da's dan weer niet zo liefdevol.'

'Nee,' lacht hij. 'Wat zit je eigenlijk te schrijven?'

'Over jou.'

'Echt waar?' Hij duwt demonstratief de stoel waar Opa Wim op zat opzij, trekt een ander naar zich toe en gaat zitten. 'Mag ik het lezen?'

'Liever niet. Er staan ook dingen over andere mensen in.'

'Over die gore klootzak?'

'Ja. Ook over hem.'

'Kom op, man...'

'Nee. Sorry. Beroepsgeheim,' plaag ik.

'Hoezo beroepsgeheim? Ben je priester of zo?'

'Journalist. Of ik vertel het aan iedereen, of ik vertel het aan niemand.'

'Lekker dan,' zegt hij.

'Yo lul!' roept Shark vanaf het kaartclubje.

'Is niet nodig, Sjaak,' hoor ik Henk zeggen.

Num staat meteen op. 'Ik spreek je,' zegt hij en loopt zo nonchalant mogelijk terug naar het kaartclubje.

[...]

Rust is als een magneet voor de mannen. De slapende hond moet wakker. Of ze zien rust als een geheim dat ze hopen te ontrafelen, een stevige rots te midden van het schuivende, roerige moeras waarin ze zich bevinden. Hoe dan ook, ik kan geen vijf minuten alleen zitten met mijn blocnote en boek. Ze worden steeds voorspelbaarder, de mannen. Het is niet zo ingewikkeld, beste lezer. We zijn vooral bang voor het onbekende. Als je maar vaak genoeg met slangen, leeuwen, krokodillen en andere angstwekkenden omgaat, dan worden de patronen steeds duidelijker. Dat zal iedere dierenverzorger beamen. Je leert al snel de juiste knopjes in te drukken, wat ze lekker vinden, hoe je ze het beste kunt benaderen. Alles wordt makkelijker als je het onverwachtse omarmt in plaats van het te verafschuwen. Kijk, het volgende voorbeeld is al in aantocht.

Stinkie komt aanlopen met een banaan in de ene hand en een mandarijn in de andere. Cornelius loopt tien meter achter hem te knikken en te wijzen als een marionet in een kinderhand. Stinkie legt het offer voor me op tafel neer. 'Alsjeblieft,' zegt hij. 'Van Cor. Hij durfde het zelf niet te geven.'

'Da's aardig. Bedankt.' Ik pak het fruit op, leg het tegen mijn voorhoofd en maakt een buiging naar Cornelius. Het fruit is gezegend.

'Ja! Ja-Ja! Ja-Ja-Ja! Hij doet het. Hij doet het!' knettert Cornelius.

'Mag ik gaan zitten?' vraagt Stinkie. Hij is begin veertig maar ieder jaar op straat telt voor vijf. Het staat allemaal in zijn gezicht gekerfd. Hij is zijn baard gaan bijhouden maar is nog niet toegekomen aan zijn haar, dat in vettige rattenstaarten in zijn gezicht en nek hangt. Misschien komt hij mijn tondeuse lenen.

Ik pel de banaan en neem een hap.

'Lekker? Deo? Is-ie lekker?' roept Cornelius.

'Hij is heerlijk, Cor, dank je wel.'

Stinkie glimlacht.

'Neem mee. Neem mee. Dat! Meenemen!' roept Cor, wijzend op de bananenschil die voor me op tafel ligt.

'Ik neem 'm voor je mee, Cor,' zegt Stinkie.

'Goed-goed. Goed-goed. Die is voor mij.'

'Dat wordt een mooie verzameling,' lacht Stinkie. Hij haalt een aantal in vieren gevouwen velletjes uit zijn achterzak en gaat zitten. Hij vouwt ze open op tafel en probeert ze glad te strijken. Dat gaat niet lukken. Hij draagt ze al veel te lang bij zich. Hij legt ze naast elkaar op tafel. Ze zijn dichtbeschreven met veel doorkrassingen. Hij draait ze om. Hetzelfde verhaal. Dan pas komt de vraag: 'Jij bent schrijver toch?'

'Ja.'

'Misschien kun je me helpen.'

'Waarmee?'

'Ik wil een brief schrijven, maar het lukt me niet zo goed. Aan mijn schoonouders.'

'Je schoonouders?'

'Ja. Mijn eigen vader is al dood en mijn moeder is dement, heb ik begrepen.'

Ik knik.

'Je weet van het ongeluk?' vraagt hij.

'Nee.'

'Auto. Mijn vrouw en kinderen zijn daarbij omgekomen. Nadat ik uit het ziekenhuis kwam ben ik gaan drinken. Veel. Daarna ben ik op straat beland. Toen heb ik wat domme dingen gedaan.' Hij heeft het verhaal al aan tientallen mensen verteld. 'Ik ben nu al een tijdje nuchter. Ik wil mijn schoonouders om vergiffenis vragen. Ik verwacht niet dat ze dat kunnen geven, maar ik wil het wel proberen, snap je? Dat is het minste wat ik kan doen.'

'Waarom vraag je het niet aan Eugène? Het zou in jouw voordeel kunnen werken.'

'Dus je helpt me niet?' Hij trekt de rafelige velletjes weer naar zich toe.

'Jawel. Ik zal kijken wat ik kan doen.'

'Bedankt.' Hij schuift de velletjes weer naar me toe. Ik vouw ze dubbel en leg ze in mijn boek.

'Ga je ze niet lezen?' vraagt hij.

'Niet hier.'

'Die-is-fout. Die-is-fout. Die. Is. Fout!' roept Cornelius, wijzend naar Opa Wim, die direct op me afloopt, zijn handen om mijn oor legt en fluistert: 'Wie zal jou doden?'

'Pardon?'

'Dat is de vraag,' fluistert Opa Wim, 'de vraag die je mij zou moeten stellen: Wie zal jou doden?'

[...]

Obs lijkt steeds meer genoegen te putten uit zijn contact met mede-observandi, deels omdat het hem bevrijdt van zelfreflectie.

Vooral de sicko's lijken zich bij obs op hun gemak te voelen. Soms worden grenzen overschreden. Zo legde Warschau, voorafgaand aan een groepsgesprek, zijn vinger op obs' geschoren schedel en zei: 'Je bent een stuk vergeten. Een driehoekje. Het lijkt wel een...' Hij stopte toen hij Eugène zag schrijven, maar Num gooide alle remmen los: 'Een kut! Een kut! Je hebt een poesje op je hoofd.'

Obs ziet de groepsgesprekken als een observatieplatform. Nadeel is dat alleen de nieuwkomers openhartig zijn. Ze willen zich

van hun beste kant laten zien, totdat ze beseffen dat alle ande-
ren zichzelf in zwijgen hullen.

Daarom behandelt obs zijn mede-observandi als katten – hoe
minder aandacht je aan hen schenkt, des te liever ze bij je wil-
len zijn.

[...]

'Kan ik er een van je krijgen, man?'

Het is de nieuwe jongen. Hij stond net nog te praten met de Magneetjes, twee zwarte mannen die onafscheidelijk lijken te zijn. Ze zaten rustig naast elkaar te roken in de zon. Uit hun bewegingen was duidelijk dat ze niks te maken wilden hebben met de nieuwe jongen, die blijkbaar had gehoopt dat de overeenkomst in huidskleur voldoende zou zijn. Magneetje Noord maakte vermoeide wegwerpgebaren met zijn hand, en Magneetje Zuid wees naar mij.

Ik schud een sigaret vrij. De nieuwe jongen pakt hem aan, breekt de filter af en steekt 'm met mijn smeulende filter aan. Hij lacht de rook in kleine wolkjes uit en zegt: 'Hoe aardig ben ik?' Voor het eerst zie ik de kinderogen onder de klep van zijn pet, helder, schijnbaar onbezoedeld.

'Nou?' vraag ik.

'Héél aardig,' zegt hij. 'Ik geef je de kans iets terug te doen voor de zwartmens.'

'Moet dat dan?'

'Jij bent toch Zuid-Afrikaan?'

'Jij leert snel.'

'Hoor ik net van hen. Noem me Goodie.' Hij steekt zijn

hand uit en ik probeer zijn ingewikkelde shake te volgen, die eindigt met de vuist op het hart.

'Rem.'

'Ik ben de Lipstickverkrachter. Zeggen ze.'

'De wie?'

'Lees je geen kranten soms?'

'Verkracht je lipstick?'

Hij lacht. 'Dan zou ik niet hier zitten, *dumb-ass.*'

'Sorry man, ik lees geen kranten.'

'Ze kregen me maar niet te pakken.'

'Was je ze te slim af?'

'Precies. Mijn eigen moeder heeft me aangegeven.'

'Wat lief van haar.'

'We hebben het eerst besproken, weet je? Ze is van de kerk.'

'Welke?'

'Baptisten. Ze gelooft dat het goed komt met me.'

'En jij? Geloof jij dat ook?'

'Ik ben genaaid door justitie. En door die bitches. Eerst vinden ze het helemaal lekker en dan ineens is het boem, je bent een verkrachter en je hebt die geslagen en die gewurgd en die loopt bij een psychiater. Je weet hoe het gaat, toch?'

'Ongeveer.'

'Ze vonden het echt lekker, ik zweer het je. Allemaal. Vooral die eerste. Die kwam ineens thuis, weet je? Stond ik daar in het donker met haar juwelenkistje. Ik was doodsbang, scheet bijna in mijn broek. Gelukkig had ik een mes bij me. Ze had de deur al op slot. Toen ik mijn hand over haar mond legde en mijn mes op haar keel zette liet ze alles lopen. Smerig man. En toen stond er iemand anders...'

'Wie dan?'

'Een andere man. Niet ik. Hij was sterk, weet je, mach-
tig en niet bang, hield de touwtjes vast. Hij zegt tegen
haar: ga douchen, bitch, je stinkt. En zij deed precies wat
hij zei. En het voelde goed, weet je, om niet meer bang te
zijn en voorzichtig. Nou, toen was ze al naakt. Dan komt
het een van het ander. Jij bent ook een man. Je weet hoe
het is.' Hij neemt een laatste haal van de sigaret en schiet
de peuk richting de Magneetjes. Dan blaast hij de rook als
een boze geest uit. 'Het was haar idee: de lipstick. Ze vroeg
of ik iets op haar voordeur wou zetten. Help of SOS of
zo, weet je? Ze lag vastgebonden op bed en wou daar niet
doodgaan van de honger of de dorst, weet je? Dus ik heb
met lipstick een hartje op haar deur getekend toen ik vertrok.'

'Echt waar? Da's aardig van je.'

'Ik ben ook echt een aardige jongen. Maar iedereen ver-
draait altijd alles. Ze weten niet hoe het werkt, hoe het is.
Er zijn zoveel vrouwen die fantaseren over verkracht worden, weet je? Maar daar kom je alleen achter als je ze hoort
kermen van genot.'

'Ik ga naar binnen.'

'Is goed. Wil je niet weten hoe ik gepakt ben?'

'Nee.'

'Lippenstift in mijn boxers. Mijn moeder...'

Vul maar in. Ik stond al bij de deur.

[...]

Ik mag niet lachen

Ik weet niet meer wat de waarheid is. Misschien wil ik
het niet weten. Misschien heet ik geen Petraq. Misschien

kom ik niet uit een stinkend bergdorp hier ver vandaan. Misschien heb ik niemand genadeloos gefokt en de dood in gejaagd. Gelukkig hoef ik daar niet meer over na te denken, want ik ben hartstikke dood. Wees blij. Twee kogels van achteren. Ik weet niet wie. Een door mijn kop en een door mijn nek. Kun je lekker zien hoe je eigen bloed zich als een rode zee voor je uitstrekt. Dik verdiend. Best mooi eigenlijk. Snel.

Ik loop je te fokken. Natuurlijk weet ik het allemaal nog. Ik ben dan wel dood, maar niet achterlijk. Eigenlijk is het allemaal heel simpel. Als je iets wilt weten over de schapen, moet je het aan de wolf vragen. Klop-klop, wie is daar? Wees niet bang, oma, jou moet ik zeker niet hebben. Ik kom voor Roodkapje. Ja, zo is het. Als je arm bent en zwak, dan kun je maar beter geen kinderen hebben. En als je ze hebt, zorg dan dat het geen meisjes zijn. En als je dan toch zo dom bent om een meisje te krijgen, bid dan dat ze een lelijkerd is met één been, want die hoef ik niet. Ik lach, maar eigenlijk mag dat niet.

Feit één: alle mannen willen altijd neuken. Feit twee: niet alle vrouwen willen altijd neuken. Oké, misschien één op de duizend. Daar ligt mijn markt, daar loopt mijn markt, de vraag, met een stijve in zijn broek en een warm bankbiljet in zijn vuistje. Ik lever het aanbod. Duidelijk toch? Er zijn simpelweg niet genoeg vrouwen die zichzelf laten neuken voor geld. Feit drie: als ik niet al die Roodkapjes voor ze zou regelen, dan zouden al die hongerige wolven op zoek gaan naar slachtoffertjes. Ik zorg er dus voor dat een klein groepje heldinnen zich opoffert en alle klappen opvangt. Prachtig toch? Het zijn een soort heiligen. Bevlekte maagden. Dat heb ik wel eens tegen een meisje gezegd. Ze hing aan mijn lippen en ging toen weer wippen. Ik mag niet lachen.

Ik was altijd al een mooie jongen. Dat geeft je een voorsprong. Altijd. Mensen vertrouwen je. Je hoeft er bijna niks voor te doen. Dat geldt vooral voor vrouwen. Die worden meteen mak als ze een mooi jongetje zien. Alsof het een puppy of een poesje is. Aaien maar. O zo blij als je ze aandacht geeft. Dan voelen ze zich vereerd, gestreeld. Tragisch. Kunnen ze niks aan doen. Dat zit in hun aard, in hun bloed. Jong en oud en alles wat er tussenin zit. Die behoefte aan liefde en aandacht maakt hen kwetsbaar. En het feit dat ze het fysiek altijd zullen afleggen tegen een man natuurlijk. Laten we dat niet vergeten. Hoe sterk ze ook mogen zijn, met hun mond of met hun wil, ze kunnen nooit de woede en fysieke kracht, het berenbloed van een man evenaren. Dat heb ik mijn leven lang om mij heen gezien. Ik weet niet anders. Vrouwen zijn altijd zwakker.

De echte strijd, de enige strijd, speelt zich tussen mannen af. Dat heb ik van mijn vader geleerd. Alle mannen worden weleens kwaad. Het verschil zit 'm in hoe snel en hoe hard. Degene die het snelst kwaad wordt en het hardst toeslaat heeft de macht. Simpel toch? Mijn vader was de snelste en de hardste van ons dorp. Het zat dus in mijn bloed. En ik zag het dagelijks om mij heen. Mijn vader hoefde nooit hard te werken of mensen te paaien. Hij sloeg gewoon sneller en harder erop los dan anderen. Daarom was hij de machtigste. Maar daar schiet je niet zo veel mee op als er geen flikker valt te verdienen in je omgeving. Dan timmer je iemand in elkaar zodat je de kruimels van zijn tafel kan likken. Ik mag niet lachen.

Mijn twee oudere broers waren ook sneller en harder dan ik. Ook zij hadden macht in hun bloed. Ik was een soort boksbal voor hen. Om te oefenen. Bijna dagelijks. Op een dag had ik een flink pak slaag gekregen van mijn broer Artan. Ik was misschien elf of twaalf. Hij was toen vijftien. Mijn neus bloedde en een van mijn tanden zat los. Ik liep het huis in, op zoek naar mijn moeder, maar kwam mijn vader tegen. 'Wat loop je nou te huilen, meisje?' vroeg hij en gaf me zo'n harde klap op mijn oor dat ik bijna knock-out ging op de keukenvloer. Toen greep hij me bij mijn jas en zette me op een stoel. Hij schonk een klein glaasje raki voor me in en ging tegenover me aan tafel zitten. 'Drink op,' zei hij, 'dan leg ik het nog een keer aan je uit. Jij bent mooier en slimmer dan je broers. Maar zij zijn sneller en harder. En ik ben het snelst en het hardst. Er is dus maar één oplossing voor jou: jij moet ergens anders de snelste en de hardste worden.'

Mooi toch? Een wijze les. Dus ik dreef steeds verder weg van huis om mijn macht gestalte te geven. Eerst met mijn vuisten, later met een stok, toen met een mes, en uiteindelijk met een pistool. Maar dat kwam pas later. Ik werd gevreesd en bewonderd. Door mannen en vrouwen. Maar ik wist ook dat er geen flikker viel te verdienen in de wijde omgeving. Ik was de koning van een riool! Ik kon wel arme boeren gaan bestelen, maar aan wie moest ik hun zielige oogst gaan verkopen? Andere arme boeren? Zodat ze iets meer op tafel konden zetten? Dat schiet niet op. Er was eigenlijk maar één product ruimschoots voorhanden. Je raadt het al: meisjes. Ik had er drie aan elke vinger hangen. En dat was natuurlijk niet onopgemerkt gebleven.

Een van onze buurjongens, Enver, een vriend van mijn

oudste broer, was naar de hoofdstad vertrokken. Een half-jaar later reed hij het dorp weer in achter het stuur van de grootste, glimmendste terreinwagen die ik ooit had gezien. Het hele dorp liep godverdomme uit om hem te verwelkomen! Enver zus en Enver zo en wat heeft Enver het goed gedaan. Je weet wel hoe dat gaat.

Nadat hij zijn ouders had begroet, kwam hij meteen naar ons huis toe. Hij groette mijn vader en mijn broers, en ik hoorde hem naar mij vragen. Ik zal toen een jaar of zeventien, achttien zijn geweest. Hij schudde mijn hand en vroeg of ik een stukkie met hem wou gaan rijden in zijn terreinwagen. Ik was verrast maar wist eigenlijk al wat er ging gebeuren. Terwijl we reden vroeg hij of ik niet veel geld wilde verdienen, of ik niet weg wou uit het riool, of ik ooit in mijn eigen terreinwagen wou rijden. Ik vroeg aan hem of een geit horens had. Natuurlijk wou ik dat! Toen vroeg Enver of ik ook meisjes kende die weg wilden uit het dorp, die droomden van een beter leven. 'Ik ken maar één meisje dat dat niet wil,' antwoordde ik. 'Dafina Krasniki.' Natuurlijk vroeg Enver wie dat was en waarom ze niet weg wou. 'Ze is vorig jaar bij een ongeluk om het leven gekomen,' antwoordde ik. 'Ze ligt op het kerkhof.' Enver moest bijna kotsen van het lachen. Hij zette de terreinwagen aan de kant en had binnen enkele minuten zijn plan aan mij voorgelegd. Het was zo onwaarschijnlijk simpel dat ik het haast niet kon geloven.

Ik hoefde eigenlijk alleen mezelf te zijn: een mooie jongen, die makkelijk het vertrouwen van meisjes kon winnen. Eigenlijk hoefde ik hun vertrouwen niet eens te winnen. Ze kwamen gewoon op mij af en dan deelde ik mijn droom met hen. Dat ik op een dag net als Enver zou zijn, met een rijk leven en een glimmende terreinwagen. Ik maakte die domme gansjes helemaal gek met mijn dromen. Voor ze het wisten waren het ook hun dromen, het enige dat ze ooit hadden gewild. Dit waren boerenmeiden moet je begrijpen, van een jaar of veertien, vijftien, zestien. Die wisten precies hoe de toekomst er voor hen uitzag. Bij ons in de bergen is er een gezegde: een vrouw is een zak om dingen in te dragen. Weet je wat mijn broers aan de aanstaande man van mijn oudste zus gaven op hun trouwdag? Een kogel verpakt in stro. Voor het geval dat mijn zus overspel zou plegen. Ik mag niet lachen.

Al die meiden wilden dus dolgraag weg. Als ze helemaal nat waren van verlangen, onthulde ik mijn plan. Ik zou contact zoeken met Enver en dan zou hij zorgen dat het meisje een goede baan kreeg in de hoofdstad of misschien zelfs in een ander land. En dat daar rijke mannen waren die dolgraag met zo'n prachtmeid wilden trouwen. Als ze twijfelde omdat ze graag samen met mij hun droom wilden najagen, dan zei ik dat het verdacht zou zijn als wij samen zouden vertrekken. Meestal wist ik ze te overtuigen dat zij vooruit moesten reizen en dat ik me later bij hen zou voegen. Dan zorgde ik dat ze 's nachts klaar stonden op de afgesproken plek, waar Enver of een van zijn maten haar kwam oppikken.

Ik kreeg geen geld voor mijn bijdrage, alleen de belofte dat ik, als ik mijn taak goed uitvoerde, een plaats zou krijgen bij Envers organisatie in de hoofdstad. Meer had ik niet nodig. Enver wist dat ik naast zijn ouders woonde en dat mijn vader en broers de snelste en hardste mannen in de wijde omgeving waren. Ooit zou ik krijgen wat mij toekwam.

In overleg met Enver verlegde ik mijn 'werkgebied' naar meerdere dorpen in de omgeving. Ik ging mijn visjes in vreemde vijvers vangen. Als ik door vaders en broers of neven van zo'n visje werd benaderd met de vraag waar hun meisje was gebleven, dan speelde ik de vermoorde onschuld, of ik zei dat ze beter op hun spullen moesten passen, of ik dreigde te verklappen dat hun dochter of zus of nichtje nu de hoer speelde in de hoofdstad, of ik sloeg hard en snel toe. Ik paste op eigen inzicht mijn strategie aan, afhankelijk van de sul die mij de weg versperde.

Maar aan alles komt een eind. En ik wou verder. Nadat ik vijf of zes visjes naar de hoofdstad had geloodst kreeg ik van mijn broers te horen dat er geruchten gingen over mij. De families van een aantal verdwenen visjes hadden samen een plannetje beraamd om mij uit te schakelen. Hun bevlekte maagden hoefden ze niet terug. Daar kleefde te veel schande aan. Maar een onsje wraak gaat er altijd wel in bij de mannen. Of een vergoeding voor geleden schade. Ik mag niet lachen.

Het werd me te heet onder de voeten, dus ik nam contact op met Enver en legde het probleem aan hem voor. Hij begreep het meteen, maar adviseerde mij om een lekkere vis uit te kiezen en die mee te nemen. 'Waarom niet die Luana?' zei hij. 'Daar zit je toch al een tijdje achteraan? Gewoon beloven dat je met haar zal trouwen, dan loopt ze als een mak schaap mee. En als je eenmaal hier bent, dan ga je haar wol verkopen, snap je? Die is dan van jou.'

Achteraf moet ik toegeven dat ik het toen niet helemaal snapte. Ik wist natuurlijk wel dat die meiden de hoer gingen spelen daar in de hoofdstad of ergens in een ander land, maar ik wist niet precies hoe dat in zijn werk ging.

Daar kwam ik snel achter toen ik met Luana in de hoofdstad aankwam. Enver bracht ons naar een hotel, waar we
samen een kamer kregen op de eerste verdieping. Hij legde uit dat het hotel en het café eronder van zijn baas waren.

Luana was diep onder de indruk van de kamer en de
hoofdstad en de rit in de prachtige auto vanuit de bergen.
Ze bleef er maar over doorgaan, zoals te verwachten valt
van een grietje van bijna vijftien. Heel vermoeiend. Uiteindelijk zijn we samen gaan douchen en heb ik haar in-
gewijd in de liefde. Kort daarna viel ze in slaap. Even later
klopte Enver op de deur en vroeg of ik beneden wat wilde
gaan drinken met hem. Hij had wat te bespreken.

In het café kwam ik een van de visjes tegen die ik had
uitgezet. Ze zag er ouder en bijzonder lekker uit. Even was
ik bang dat ze boos zou zijn, maar ze liep lachend op me
af en vroeg me honderduit over haar familie en vrienden
in de bergen. En ik vroeg aan haar of ze een rijke man had
ontmoet. Ze wees naar een jongen die aan de bar zat met
een aantal vrienden en zei dat hij haar verloofde was. Ze
hadden nog geen datum geprikt maar het zou snel gaan
gebeuren, dat wist ze zeker. Ik mag niet lachen.

Enver kwam aanzetten met een fles raki en loodste mij
naar een tafel in de hoek, waar niemand aan zat ondanks
het feit dat het café helemaal vol was. Hij schonk in en begon te vertellen over de organisatie waar hij voor werkte. Hij wees een aantal mannen in het café aan en legde
uit wie ze waren en wat ze deden en raadde mij aan om
hun gezichten en namen goed te leren kennen. Hij wees
ook verschillende visjes aan en legde uit van wie ze waren
of waar ze heen gingen of vandaan kwamen. Zo ging het
twee of drie glazen door.

Uiteindelijk leunde hij naar me toe en zei: 'We hebben ook een verrassing voor je geregeld. Voor al je harde werk. Het ligt boven op je kamer.' Ik was blij, maar ook op mijn hoede. Bij ons in de bergen is er een gezegde: pas op voor wolven die aan je voeten komen liggen. Enver zag mijn twijfel en vroeg lachend: 'Heb je een wapen op zak?' en sloeg zich vervolgens voor zijn kop, alsof hij de verrassing al had verklapt. Enigszins gerustgesteld vertelde ik dat mijn mes boven in mijn tas lag. 'Daar heb je niet zo veel aan,' lachte hij.

Samen liepen we naar boven. Toen we de kamer naderden hoorde ik een vreemd gekerm, als een hond die een nachtmerrie heeft, en ik hoorde mannenstemmen en gelach. Ik keek nog even naar het nummer op de deur. Kamer 24. Ik weet het nog precies. En toen gooide Enver de deur open.

Luana knielde voorover op bed en werd aan weerszijden door twee mannen tegen het matras aan gepind. Een derde man stond met zijn broek om zijn enkels tegen haar kont aan te pompen. Hun gelach en flauwe opmerkingen stokten toen de deur openvloog. Ik voelde hoe het snelle, harde bloed van mijn voorvaderen naar mijn armen suisde. Ik greep naar mijn jaszak en begreep meteen waarom Enver mij gevraagd had of ik gewapend was. De pomperd kon niet snel genoeg zijn broek ophijsen. Terwijl ik met de stoel op zijn rug inbeukte voelde ik hoe Enver van achter aan mijn jas trok. Luana vluchtte gillend de badkamer in. De pomperd kroop naar de deur toe, achter zijn makkers aan, die al de gang op waren gerend. Ik bleef maar doorbeuken op zijn rug en schouders en hoofd, maar hij was groot en zwaar en hij bleef kruipen, vloekend tegen Enver, dat het zo wel genoeg was geweest en dat het niet meer grappig was. Toen pas hoorde ik Envers proestende lach. Ik probeerde me om te draaien zodat ik Enver te grazen kon nemen met de twee resterende stoelpoten. Maar hij had mijn jas stevig vast en stuurde steeds tegen, waardoor ik me moeilijk kon draaien. Ik probeerde Enver achterwaarts tegen zijn benen te slaan, schreeuwend dat hij me moest loslaten. Toen hoorde ik stilletjes 'tss-tss'. De pomperd stond bij de open deur. Hij had inmiddels zijn broek opgetrokken en hield een pistool op mij gericht. Met zijn andere hand maande hij mij tot stilte door zijn vinger op zijn lippen te leggen. Ik vervloekte zijn moeder en zijn moeders moeder en riep tegen Enver dat ze moesten opdonderen. 'We gaan al, we gaan al, genade,' zei hij nogal overdreven en gaf me een dikke knipoog toen hij de deur achter zich dicht trok.

Zo ging dat dus. Zo afschuwelijk simpel. Zo bruut, maar o zo effectief. Dat besefte ik meteen, terwijl ik op het bed zat en mijn verkrampte handen masseerde. Ik was haar held, haar redder, haar beschermheer. Dat had ik in nog geen drie minuten bewezen. Ze zou me eeuwig dankbaar zijn, voor altijd bij me in het krijt staan. Ze kende nu de pijn en de angst en de dreiging. Ik was de man met het harde, snelle bloed die haar daarvoor kon behoeden. Ze was van mij. Helemaal.

Ik hoorde haar snikken onder de douche, deed de kamerdeur op slot en klopte op de badkamerdeur. 'Ze zijn weg, Luana,' riep ik. 'Kom er maar uit als je klaar bent.' Toen ik me omdraaide zag ik de fles raki op het tafeltje staan, met twee glaasjes ernaast, voor het geval ik nog twijfelde aan het toneelstukje waar ik zo vol overtuiging aan had deelgenomen.

Later heb ik nog andere rollen in dat toneelstukje gespeeld. Maar dat duurde niet lang. Envers kopman in Griekenland was de bak in gedraaid en hij wou dat ik hem zou opvolgen. 'Ik heb daar meer dan genoeg spierkracht zitten, maar geen hersens.' Hij raadde me aan om Luana mee te nemen omdat ze daar op straat veel geld voor mij kon verdienen. 'Die meid doet alles wat je haar vraagt. En je krijgt een percentage van de opbrengst van onze andere visjes.'

Kort daarna zaten we samen op een overvolle speedboot waar het water en braaksel om onze enkels heen spoelden. Toen Enver onze paspoorten en creditkaarten en cash aan ons overhandigde, allemaal vals natuurlijk, had hij me al gewaarschuwd dat de smokkelaars altijd het slechtste weer kozen om de oversteek naar het Westen te maken. 'Dan blijft de kustwacht veilig thuis.'

Toen we na een zenuwslopende nacht aankwamen als verzopen ratten, werden we opgewacht door een van Envers spierbundels. Hij gaf ons droge kleren en raadde ons aan om op de achterbank te gaan zitten zodat we konden slapen. We werden pas wakker toen we in de hoofdstad aankwamen. Daar begon ons nieuwe leven. Maar de regels bleven hetzelfde. Overal waar we kwamen. Griekenland, Italië, België, Holland. Wie sneller, harder, slimmer en beter bewapend is blijft de machtigste. En vergis je niet, overal was er wel een politieman die een oogje wilde dichtknijpen voor een paar biljetten; overal waren er kwetsbare meiden die volledig in de tang zaten bij oppermachtige mannen; en overal waren er mannen die wilden neuken. Liefst voor zo weinig mogelijk geld met de jongste en mooiste meiden. Vaak was ik de enige die dat product kon leveren. Kant en klaar.

Onderweg dreigde ik Luana een paar keer kwijt te raken. Zij zag natuurlijk ook wel dat er mogelijkheden werden geboden om uit het leven te stappen. Maar ik wist het probleem telkens gemakkelijk op te lossen. De eerste keer dreigde ik haar familie wat aan te doen. Daarna liet ik haar broertje in elkaar slaan en toonde haar de foto's. En uiteindelijk gaf ik haar een zoon. Ik kan je verzekeren dat er niks kwetsbaarder is dan een moeder. Zelfs al is het een bevlekte maagd. Ik mag niet lachen.

Ik had nooit terug moeten gaan. Maar we werden uitgezet. Ongewenste vreemdelingen. Lekker met het vliegtuig naar huis. Alsof je uit de hemel teruggezet wordt in de hel. De concurrentie was moordend. Iedereen wou wel mijn plaatsje in het Westen overnemen. Ik was zo druk bezig met overleven, dat ik te weinig oog had voor Luana. Ineens was ze verdwenen, met onze zoon. Ik hoorde dat ze bij de ontwikkelingsmaffia had aangeklopt. Deze zogenaamde hulpverleners waren ineens heel actief in de stad, met hun opvangcentra en hun dure witte Landrovers en hun machteloze onbegrip voor onze cultuur. Er gingen ook geruchten dat Luana werd gevolgd door een journalist en een fotograaf. Zijn flits was het laatste wat ik zag toen ik op de grond lag te staren naar mijn eigen bloed, dat ineens niet meer het sterkste en snelste was. Ik mag niet lachen.

[...]

EH: Wat een onbarmhartig, cynisch verhaal.
Deo: Zo gaan die dingen, Eugène.
EH: Ik voelde woede in me opwellen bij het lezen.

Deo: Kijk eens aan.

EH: Wat een ellende allemaal.

Deo: Dat is de wereld die ik ken.

EH: Dat doet iets met je. Dat kan niet anders.

Deo: (Lacht) Dat doet het zeker, Eugène – iets.

EH: Ik kan me voorstellen dat je hier zelf ook ontzettend cynisch van wordt.

Deo: Weet je wat cynisch is, Eugène? Ik zou zo'n verhaal bij geen enkele krant of tijdschrift kunnen slijten.

EH: Het is dan ook fictie, toch?

Deo: Maar wat zijn de feiten, Eugène? Datgene wat je in de krant leest? Een artikel van driehonderd woorden op pagina acht? Een schitterende fotoreportage in de kleurenbijlage? Een lekkere dikke non-fictieboterham met harde korst? Alle feiten die jij krijgt voorgeschoteld zijn door een zeef gegaan. Ze zijn geselecteerd, moedwillig of onbewust. Je krijgt wat je wilt. Of wat anderen denken dat je wilt. Jij krijgt wat verkoopt. Het nieuws dat duizend exemplaren extra verkoopt of tienduizend euro meer aan reclame opbrengt. Het nieuws dat net even die fijne kick geeft. Die koude rilling, die net niet te veel is. De ongelukken die goed aflopen.

EH: Leg eens uit.

Deo: De mensen thuis willen actie zien, Eugène. Geen apathische vluchtelingen en bange burgers die hun huisjes niet uit durven. Dus mijn opdrachtgevers willen dat ook zien. Heldhaftige soldaten, laag overgierende straaljagers, brandende helikopters, pompende artillerie, exploderende pantservoertuigen. Maar geen bloed, stront, kots en angst. Geen moddervelden vol eindeloze rijen tenten. Geen huilende kinderen die aan moeders hand in de rij staan te wachten op water of eten dat vandaag niet gaat komen. Actie, meneer de psycholoog, dat willen we zien.

EH: Hier word ik een beetje stil van...

Deo: Ik merk het, ja. Zo gaat het dus ook met dit soort verhalen. Over vrouwenhandel. Wat zielig, die kleine neukertjes uit het Oostblok. Zet maar snel op het vliegtuig terug naar mammie en pappie. Of nog beter: laten we het er helemaal niet over hebben. Laat ik het zo zeggen: stel, we krijgen met z'n allen ineens ontzettend veel zin in lekker mals babyvlees. Dat kunnen we hier niet zo makkelijk krijgen, maar ergens anders wel. Daar hebben ze een overschot aan babyvlees. Dus we gaan het daar halen. Of nog beter: we laten iemand het thuisbezorgen. Hoeven we zelf niet dat hele eind te reizen. Niet iedereen houdt van babyvlees, maar we kunnen ons goed voorstellen dat er mensen zijn die het heerlijk vinden. Ieder zijn meug, en de wereld is toch overbevolkt. Dus we staan gewoon toe dat er geheime babyvleesrestaurants zijn. Of restaurants waar er ook stiekem babyvlees wordt geserveerd.

EH: Ik volg u niet meer helemaal, geloof ik.

Deo: Die mannen zijn niet gek, Eugène. De babyvleesverkopers. Die zitten niet hier in jullie prachtige instituut. Die zijn gewoon hun centjes aan het verdienen. Zo werkt de economie. U wilt babyvlees, u krijgt babyvlees. U wilt actie, u krijgt actie. Vraag en aanbod, Eugène, vraag en aanbod. Mensen raken afgestompt, Eugène. De zwijgende meerderheid. Apathisch. Angstig. Ze doen niks meer. Kunnen alleen nog lijdzaam toekijken. Gefascineerd maar onbewogen.

EH: U bent buiten adem...

Deo: Ja.

EH: Grijpt dit u aan, zo'n verhaal?

Deo: Nee, het laat me hartstikke koud, Eugène. Wat denk je?

EH: Grijpt dit weer terug op dat gevoel van onrechtvaardigheid waar we het eerder over hadden?

Deo: Jezus, Eugène... Ik weet al meer dan vijfentwintig jaar dat ik totaal ongeschikt ben voor het werk dat ik doe.

EH: Omdat de dingen u raken?

Deo: (Pakt recorder) Ja, Eugène. Omdat ik niet passief kan toekijken. Niet objectief ben. Omdat ik de verhalen die ik echt wil vertellen nergens kwijt kan.

[...]

EH: Bent u weer een beetje tot rust gekomen?

Deo: Ja.

EH: Wacht maar buiten, Henk. Dank je wel.

Henk: Prima.

EH: Ik wil graag nog even terugkomen op uw werk.

Deo: Ik ben er klaar mee. Ik ben uitgeluld.

EH: Maar u begrijpt dat dit een doorbraak is? We raken hier de kern. Dit zou allemaal in uw voordeel kunnen zijn voor de rechter.

Deo: (Zucht)

EH: U heeft het steeds over een fotograaf. Wie is dat? Bent u dat zelf?

Deo: Het is helemaal niemand, Eugène. Het is fictie.

EH: Maar u werkt wel met een vaste fotograaf, toch?

Deo: Meestal.

EH: Uw vrouw had het over ene 'Malle Mick'. Ik zou hem graag willen spreken.

Deo: Hij neemt altijd contact met mij op.

EH: Heeft u geen telefoonnummer van hem?

Deo: Nee. Hij belt mij altijd.

EH: Wat bijzonder. Een telefoon lijkt mij onontbeerlijk in uw beroep.

Deo: Hij heeft een telefoon, maar niemand heeft zijn nummer.

EH: Zou ik misschien via uw opdrachtgevers contact met hem kunnen opnemen?

Deo: Dat zou je kunnen proberen, maar ik denk niet dat ze meer over hem kunnen vertellen. En ik denk bovendien dat hij jou niet te woord zou willen staan.

EH: Hoezo dat?

Deo: Het is een geval apart, zal ik maar zeggen.

EH: Nu we het toch over opdrachtgevers hebben, die zou ik graag willen spreken. Ons referententeam heeft namelijk de kranten gebeld die u had genoemd, maar niemand lijkt u te kennen. Het team kon ook uw naam niet terugvinden – geen van beide – noch in de kranten, noch op het internet. Dat is toch een beetje raar?

Deo: Heb je wel eens de naam AP of Reuters onder een artikel zien staan, Eugène?

EH: Ja, maar het team heeft ook contact...

Deo: Laat me uitpraten, Eugène. Die correspondenten zitten lekker in het hotel terwijl anderen, gekken zoals ik en Mick, het vuile werk opknappen.

EH: Ik begrijp het niet helemaal meer, geloof ik.

Deo: Denk je dat die correspondenten zelf op stap gaan? Nee, die kopen hun verhalen van mensen zoals ik. En dan verkoopt hun nieuwsdienst ze voor grof geld door aan de wereld.

EH: Dus...

Deo: Dus onze namen staan nooit in de krant. Dat zouden we ook niet willen. Wij worden betaald door de correspondenten, of indirect door hun opdrachtgevers. Maar ze kennen ons niet, weten niet eens wie we zijn. En dat willen ze ook niet. Wij ook niet, trouwens.

EH: Ik sta versteld... Doen die correspondenten dan helemaal niks zelf?

Deo: Natuurlijk wel. Die gaan via de officiële kanalen. Vragen een visum aan, zitten dagen te wachten op een militair attaché zodat ze met het konvooi mee mogen rijden in hun huurautootje. Wachten, wachten, wachten. Het liefst totdat wij binnen komen lopen met hun verhaal.

EH: Maar hoe werken jullie dan?

Deo: We praten met mensen in vluchtelingenkampen. Zoeken contacten. Komen bij de mensen thuis. Reizen met de bus. Vaak vermomd. Of we sluipen de grens over met de vriend van een neef van een student die we op de lokale universiteit hebben geronseld. Studenten hebben altijd geld nodig. En ze willen de wijde wereld in trekken. En ze spreken hun talen. Dus wij gebruiken ook weer lokale mensen om verhalen los te peuteren, maar ook om achter de waarheid te komen. Maar niemand wil die verhalen. Het onnoemelijke leed van alledag.

De saaie wreedheid van een dictatuur of een bezetting, dag in, dag uit. Ze willen actie zien, Eugène, actie. Dus dat verkopen we óók: het hoogtepunt, de adrenalinestoot, het afwijkende. Dat gaan we voor de mensen halen. Soms wordt het zelfs in scène gezet omdat dat iemand goed uitkomt. Omdat het dan een beter, spannender plaatje wordt. Mick heeft wel eens meegevochten met guerrilla's zodat hij foto's kon maken. Wat een idioot. Al zijn rolletjes zijn tijdens een bombardement verwoest. Hij moest met lege handen naar huis.

EH: Verbijsterend.

Deo: Zo gaan die dingen, Eugène.

EH: We moeten zo afronden, maar ik heb nog één ding op mijn lijst staan. Nog even terug naar uw twee verhalen – over de wolven. In beide verhalen komen verkrachtingen voor. Uw ex-vrouw, Jessica...

Deo: Jij wilt weten of ik vrouwen verkracht of in elkaar sla? Of ik daarop geil, of ik dat leuk vind? Wat denk je zelf, Eugène? Na alles wat ik je verteld heb?

EH: Het viel op en ik moest het vragen.

Deo: Het antwoord is nee, Eugène. Maar ik vergeef je omdat ik weet wat er hier op de gang rondloopt, waar je dagelijks mee te maken hebt.

[...]

Verslag Eugène Hauptfleisch, psycholoog

Observandus was zeer openhartig over zijn leven en werk als correspondent. Tijdens het gesprek liet obs iets zien van de frustratie, woede en het cynisme dat gepaard gaat met zijn metier. Obs geeft toe dat hij al vele jaren gebukt gaat onder dit soort negatieve gevoelens, die mogelijk tot uiting zijn gekomen als een woede-uitbarsting tijdens het delict, mogelijk in combinatie met alcohol- en/of drugsgebruik. Obs voelt zich duidelijk een vreemde eend in de bijt in zijn beroepsgroep en laat zich soms negatief uit over zijn collegae en hun opdrachtgevers.

Op een gegeven moment in het gesprek leek obs zich los te maken van de werkelijkheid om via metaforen zijn denkbeelden te schetsen. Zijn verhaal begon overeenkomsten te vertonen met de waanbeelden/hallucinaties/fantasieën die men ook bij schizofrene patiënten waarneemt. Maar obs herpakte zich al snel en wist zijn beeldende verhaal binnen een logisch kader te plaatsen.

Obs wist ook een logische verklaring te geven voor het feit dat zijn naam niet voorkomt in nieuwsartikelen in kranten en andere media, noch bekend is bij de redacties van deze media. De ietwat voorbarige conclusie dat obs (wellicht) zijn hele carrière of delen daarvan heeft verzonnen lijkt dus niet te kloppen. De beeldende verhalen die obs schrijft over omstandigheden in die landen lijken dit ook te logenstraffen.

Obs lijkt geen afwijkende seksuele neigingen te vertonen, ondanks de plastische beschrijving van seksueel geweld in zijn schrijfsels. Hij brengt nog steeds grote delen van de dag schrijvend op zijn kamer door, maar laat zich ook vaker op de groep zien, waar hij zich het liefst

afzijdig houdt of een-op-eengesprekken aangaat
met mede-observandi.

[...]

*Obs droomde vannacht dat hij een albinonijlpaard was dat lag
te rollen in de modder naast een drinkplaats, genietend van
het contrast tussen het koele water en de warme zon. Jammer
genoeg begon het nijlpaard zich steeds meer te ergeren aan de
strontlucht die bij de drinkplaats hing.*

*Obs ervoer een bijzondere mengeling van opluchting en teleur-
stelling toen hij wakker werd en zag dat hij zijn bed niet onder-
gescheten had. Gezeten op het toilet schetste obs een natuurlijke
anti-obstipatietherapie, waarbij het geplons van steentjes in een
emmer water dezelfde heilzame werking zou hebben als stromend water op een onwillige blaas.*

[...]

'Dus jij denkt jij bent God?'

Ik kijk op van mijn boek. Hij heet Ibrahim, geloof ik, en hij staart me met roodomrande ogen aan. Hij is ergens in de twintig, zijn hoofd rondom opgeschoren, met een toefje zwarte krullen bovenop. Hij draagt dure kleren – glimpatta's met klittebandjes en een mooie spijkerbroek – alsof hij voor de gelegenheid iets nieuws heeft gekocht. Achter hem staat Cornelius op een meter of tien heftig met zijn hoofd te schudden om duidelijk te maken dat ik niet met Ibrahim zou moeten praten.

'Stelt God vragen?' vraag ik.

Hij moet even nadenken. 'Nee, Allah wijst de weg.'

'En welke weg heeft hij voor jou gekozen?'

Hij gaat tegenover me zitten. 'Jij bent profeet?'

'Schrijver.'

'Wat jij schrijft dan?'

'Van alles.'

'Ook over mij?'

'Misschien.'

'Waarom misschien? Ik ben niet leuk genoeg?'

'Dat weet ik nog niet.'

'Ik ga je zeggen: ik ben helhond.'

'Leg eens uit.'

'Dit is de weg wat Allah mij wijst. Ik ben die hond wat geslagen wordt. Een waarschuwing van Allah voor alle mensen die mij kent.'

'Het slechte voorbeeld?'

'Precies. Allah zegt: kijk deze hond wat hij doet. Als je wil naar de hel dan jij moet doen zoals hij. Dus ik ben helhond.'

'Heb jij zelf die naam gekozen?'

'Nee, mijn vader. Ik zeg zoals hij zegt.'

'Praat Allah door jouw vader?'

'Nee, mijn vader is de handen van Allah!' Hij steekt lachend zijn vuisten in de lucht en maakt een links-rechtscombinatiestoot. 'Maar Allah ziet alles. Gelukkig mijn vader niet.' Hij valt even stil. 'Als mijn vader alles weet, dan ik zit nu niet met jou te praten, weet je? Dan ik ben dood.'

'Maar Allah heeft jou nodig...'

'Precies. Ik ben zijn hond. Hij heeft mij gemaakt zo en daarom ik moet zo blijven. Het is de wil van Allah.'

'Weet je waarom hij jou heeft gekozen?'

'Jij kan mij vertellen misschien?'

'Misschien omdat jij sterk genoeg bent om de last te dragen.'

'Wat is last?'

'Je moet heel sterk zijn om altijd het slechte voorbeeld te kunnen geven.'

'Ja! Zo is het! Jij bent wijze man. Als imam. Jij begrijpt mij. Het is zwaar voor de helhond wat altijd Allahs vieze werk moet doen! Heel zwaar!'

'Wat heb je dan allemaal op je kerfstok staan?'

'Wat is kerfstok?'

'Een stok waar je elke keer een sneetje in zet als je iets slechts hebt gedaan.'

'Dan ik heb kerfzwaard!' lacht hij.

'Toe maar,' lach ik terug.

'Op mij kerfzwaard daar is meer dan honderd, hoe jij zegt: snitjes?'

'Sneetjes, ja. Je bent dus het zwaard van Allah.'

'Dat is mooi! Jaaa! Ik ben de zwaard van Allah!'

'Wat is er eigenlijk met je ogen?'

'Soms in de nacht ik denk Allah wil dat ik beter kan zien. Dan ik word wakker met tandpasta in de ogen.' Hij valt stil. 'Soms met de zwaard in mij handen. En de bloed. Maar waar ik weet niet...'

'Weet je het niet meer?'

'Als Allah roept ik word blind, weet je?'

'Ik begrijp het.'

'Ik ga je zien, profeet. Jij hebt mij gezegd goed. Ik mag bidden.'

[...]

Mocht u denken dat er alleen maar voordelen kleven aan mijn goddelijke status, bedenk dan dat Jezus op gruwelijke wijze is gestorven en veel van zijn volgers ook. Denk aan de vele heiligen met afgehakte neuzen, handen en borsten, de heidenen en martelaars die levend geroosterd werden door de barmhartige kerk. Ik ben minder bekend met andere religies, maar ik vermoed dat ook zij zich op gruwelijke wijze hebben weten te verlossen van degenen die hun leer in twijfel trokken. En dan heb ik het nog niet eens over de vele oorlogen die door de eeuwen heen tussen verschillende religies hebben gewoed, waarbij alle betrokkenen tot het angstaanjagende uiterste zijn gegaan om te bewijzen dat hun Onzichtbare toch veel echter en beter was dan de Onzichtbare van de andere partij, of zich noest gestort hebben op het slachten van degenen die niet in staat waren om hun Onzichtbare te zien. En dat gaat natuurlijk gewoon door tot op de dag van vandaag.

Maar ik vertel u niks nieuws, beste lezer. Ook hier op het instituut hebben we natuurlijk figuren die uitgebreide gesprekken voeren met schimmen die voor ons onzichtbaar zijn, schimmen die hen opdrachten geven, die hun leven sturen en verblijden. Maar blijkbaar is het minder erg en helemaal niet gek als je met een grote groep gezamenlijk het gesprek met de Onzichtbare aangaat in Zijn huis, biddend en buigend en levend naar Zijn regels, moordend als Hij dat nodig acht.

Misschien wordt dit alles gedreven door de angst nergens bij te horen. Of liever gezegd: we willen graag ergens onderdeel van zijn, omdat dat zoveel voordelen heeft. Zo weet ik inmiddels dat ik bij de getraumatiseerden hoor. Althans dat vermoed ik omdat ik vooralsnog in geen andere categorie lijk te passen. Maar ik zal u iets verklappen: het zou mij verbazen als hier iemand zit die niet getraumatiseerd is. Ik geef toe dat ik nog niet iedereen heb gesproken, maar ik beloof u plechtig dat ik meteen mijn mening zal herzien als ik er een tegenkom die trots en blij verhaalt over een prettige jeugd in een liefdevol nest. Och, wat zijn ze hard geslagen en beschimpt en genaaid door hun omgeving, of gewoon verwaarloosd of verweesd toen ze nog geen geheugen hadden maar wel het vermogen om het leed permanent en onuitwisbaar in hun wezen op te slaan.

Er zitten hier buitenproportioneel veel mannen die van verre zijn gekomen, of gehaald. Dat laatste zal u ongetwijfeld verrassen als u wel eens hebt overwogen om zo'n hulpeloos bundeltje te adopteren, te redden van een wisse dood in een door honger en oorlog geteisterd land. U gaat tot het uiterste, zet de kraan der liefde helemaal open, geeft het weesje alle kansen die een kind verdient. Maar zijn leedschijf is allang gecorrumpeerd, daar valt geen upgrade of herstelpakket voor te kopen. En dan komt de crash, het mes op de keel, vijftig steken in de rug, de onbeheersbare uitbarstingen die samengaan met het besef dat hij nooit echt ergens bij zal horen, dat hij is verstoten door zijn groep.

En dat geldt natuurlijk ook voor de Mannen van Verre die op eigen houtje zijn gekomen, vaak met diepe wonden, slechtgeheelde littekens, angstaanjagende beelden en herinneringen, diepgewortelde angsten, onnoemelijk verlies. Gebroken komen ze aan in het walhalla, maar botsen al snel tegen een dikke muur van onbegrip, gelukzalige onwetendheid, blije gezichten, onbezorgde levens, bloedeloze middelmaat. Vervolgens gaan ze op zoek naar iets of iemand die ze wel herkennen. Of nog makkelijker, ze zetten hun oude wereld hier in scène met een bijl of mes of hamer, zodat het allemaal weer even herkenbaar is.

Ik zou u graag willen vertellen dat ik dit alles uit hun eigen monden heb vernomen, maar ik zit gewoon te gissen. Mochten ze al een gesprek met me willen voeren, de Mannen van Verre, dan zou dat gaan bij monde van een tolk. Want als ze hier aankomen zijn de meesten zo ver teruggeworpen in zichzelf dat ze alleen nog hun moerstaal spreken. Maar ze kunnen en willen helemaal geen gesprekken voeren, behalve met de Onzichtbare op hun kamer en die luistert blijkbaar alleen maar naar repetitief gebabbel, liefst midden in de nacht, of naar oerkreten die erop wijzen dat ze het onschuldige dier in zichzelf hebben hervonden. Maar dat mag niet van de mannen met de spuitjes, die ervoor zorgen dat de kreten snel weer in gebabbel over gaan.

Meestal zitten de Mannen van Verre in hun cel, maar heel soms tref je zo'n balletje wanhoop aan in een uithoek van de eetzaal, meestal wiegend op een stoel, als een strakgewonden stuk speelgoed, een doorgeladen pistool, een handgranaat met een losse pin. De meeste andere mannen hier zijn dol op actie, stilzitten kunnen ze zelf vaak niet, maar met dit soort potentiële energie weten ze zich geen raad. Ze zouden stenen willen gooien, als kinderen die een landmijn hebben aangetroffen en toch graag willen weten wat-ie doet. Maar ze staan zelf ook onder observatie. Degenen die dat beseffen weten ook dat het onhandig is om met vuur te spelen. Sterker nog, sommigen zien de Mannen van Verre als een proef, neergezet door de leiding, of als een waarschuwing dat dat hun voorland is als zij zich niet gedragen.

Hoe dan ook, degenen die onvoldoende getraumatiseerd binnenkomen zijn dat zeker bij hun vertrek. De dreiging hier is te vergelijken met de meest zwartgeblakerde uithoeken van de wereld die ik heb bezocht. Wekelijks komt er nieuw vlees binnen en wordt het oude afgevoerd. En telkens weer sluipt de nieuwkomer als een angstig dier naar binnen, die eerste keer op de groep. Gedreven om contact te zoeken ondanks het feit dat de slangenkuil dan moet worden betreden. Meestal doen ze dat de eerste keer aan de hand van een begeleider, die de nieuwe slang zo rustig mogelijk brengt en dan introduceert aan de meest voorspelbare en rustige adders, die weten dat hun eindverslag binnenkort zal worden geschreven en derhalve hun allerbeste slangenbeentje voor willen zetten.

Vandaag waren de rustige adders Stinkie en Opa. De nieuwe slang kreeg al snel de bijnaam Pyro. Hij was nog niet gaan zitten of de verhalen kwamen los. Alle oren waren natuurlijk meteen gespitst, want dat is een van de weinige geneugten van zo'n instituut: de volstrekt waanzinnige verhalen die je krijgt te horen en het gissen naar de antecedenten van de nieuweling. Van mij kreeg hij meteen de classificatie 'dombo', vooral omdat hij prompt zijn hele hebben en houden op tafel gooide. De slimsten houden dat zo lang mogelijk voor zich omdat ze weten dat een geheim vaak als wisselgeld van pas komt. Maar dat gold niet voor Pyro, die zijn uiterste best leek te doen om te bewijzen dat mijn eerste classificatie correct was. Hij was als een racist die denkt dat hij zich onder andere racisten bevindt: vreselijk openhartig.

'En toen ging dat hele huis in de hens,' zei hij. 'Natuurlijk ging ik terug om te kijken, want anders is er geen klote aan, hè? En het bleef maar branden! Drie, vier van die wagens eromheen. Maar ze kregen het niet onder controle. Hoge vlammen uit het dak. Toen nog een gasexplosie. Onwijs spectaculair. Zegt ineens zo'n gozer naast me: wat stink jij naar de benzine... Nou, lang verhaal kort, ik werd diezelfde nacht nog van mijn bed gelicht. En waar zitten jullie voor?'

'Ik had mijn balzak niet geschoren,' antwoordde Stinkie.

'En ik de mijne niet,' lachte Opa. Maar dat had hij beter niet kunnen zeggen gezien zijn besmette verleden. Misschien was hij overmoedig geworden door Stinkies goede grap.

'Jij moet je gore bek houden, vuile tyfushond!' riep Shark en hing meteen over de tafel heen zodat Opa de spuugspetters van zijn woede kon voelen.

'En plotseling was iedereen heel rustig,' zong Bobby. 'Want als ze onrustig zijn krijgen ze een lekker prikkie van Ome Henk.'

'En dan kunnen ze de komende twee dagen niet met

hun tampeloeris spelen,' sneerde Henk.

'Ome Henk toch, wat zegt u allemaal voor lelijks?' lachte Bobby. 'Effe serieus, heren, laten we een beetje respectvol met elkaar omgaan. Er zitten hier mensen die een zwaar leven achter de rug hebben, laten we het niet nog erger maken.'

Uit vele mondhoeken klonk gemompel – instemmend en gekscherend.

'Ik geloof dat-ie het over jou heeft,' siste Draadbek tussen zijn stalen beugel door tegen mij. Ik had hem in eerste instantie bij de psychopaten geschaard omdat hij vaak met de gevaarlijkste slangen zat te kaarten, maar hij was inmiddels mijn hoofdbron van informatie geworden. We troffen elkaar met enige regelmaat in de bibliotheek, waar hij werkte. Hij beweerde in zijn vorige leven advocaat te zijn geweest, maar leek nu een satanisch genoegen te scheppen in het verbreken van zijn zwijgplicht. Hij was al vijf weken op het instituut en leek in mij een toekomstige curator van zijn verzamelde verhalen te zien. Steeds als ik iemand had gesproken, leverde Draadbek een antecedentenverslag.

Zo was ik te weten gekomen dat Stinkie tijdens een diepe winterse depressie een veertien maanden oude baby had ontvoerd op straat. Hij dacht dat het de zijne was en had een paar dagen met de baby rondgelopen in zijn winkelwagentje. Meer kon of wou Stinkie niet vertellen, behalve dat de baby het ternauwernood had overleefd.

Opa Wim had inderdaad zijn kleinkinderen misbruikt, vertelde Draadbek, maar had ook een aantal van hun vriendjes weten te verleiden. De zachtaardige kindervriend was waarschijnlijk nooit tegen de lamp gelopen ware het niet dat een computerreparateur de foto's en filmpjes van zijn handelingen per toeval tegenkwam toen hij Opa Wims vastgelopen pc aan het repareren was.

Shark en Num hadden een lange serie gewelddadige overvallen gepleegd, waardoor ze nu samen werden geobserveerd om de dynamiek tussen de twee te ontrafelen. Je hoefde geen expert te zijn om te zien dat hun relatie aan het sadomasochistische grensde, maar ze vormden ook een gevaarlijk blok. Als Shark blafte of beet deed Num dat ook. Gelukkig was Num meestal zelf het mikpunt van Sharks geblaf en gebijt, maar het was niet moeilijk voor te stellen hoe het zou aflopen als ze samen zouden spannen.

'Er valt nog meer over ze te vertellen,' siste Draadbek geheimzinnig. 'Maar dat hoor je wel als ze zijn vertrokken.'

Hij was ook zeer openhartig over zijn eigen verhaal, wellicht omdat het een wankel kaartenhuis van leugens leek te zijn. Hij beweerde als advocaat gespecialiseerd te zijn geweest in echtscheidingen. Zoals zoveel van zijn confrères hield hij van een stevige borrel, waardoor hij zich soms onbezonnen gedroeg. 'Ik begon mensen te bijten,' vertelde Draadbek, 'en de drang leek steeds sterker te worden.' Het was op een avond in de kroeg begonnen, toen hij met vrienden en collega's een avond flink had doorgehaald. Ineens had hij in een collega gehapt – 'degene met de grootste bek en de kleinste ziel'.

De eerste keer hadden zijn drinkebroeders het hilarisch gevonden – een dolle grap die uit de hand was gelopen. De tweede keer was het alweer minder leuk. En de derde keer werd er aangifte gedaan. Draadbek besloot een schoonmaakactie te ondernemen en stopte met drinken. Maar hij merkte dat hij zijn bijtreflex niet kon bedwingen. Hij zag steeds meer vlezige doelwitten om zich heen en besloot toen naar het Verre Oosten te vliegen, waar hij zijn kaken op elkaar liet zetten door een tandarts, met de smoes dat hij wou afvallen.

Maar bij terugkomst begonnen de problemen pas echt. Omdat hij zijn tanden niet meer kon gebruiken, ging Draadbek op zoek naar alternatieven. Al snel kwam een aantal van zijn klanten erachter dat zij niet de enigen waren die 'per ongeluk' waren verwond met Draadbeks vulpen. Weer werd er aangifte gedaan. Zo was hij hier beland, beweerde hij.

U ziet de prachtige symboliek toch wel, beste lezer? De mythische metafoor die Draadbek voor u uitbeeldt? Veel van de mannen hier zijn niet in staat tot zelfreflectie, laat staan zelfkritiek. Misschien geldt dat ook voor u. Het is zoveel makkelijker om een lekkere vlezige hap uit een ander te nemen. Dat lukt moeilijker bij uzelf. Probeer het maar. Alleen uw taaie benige handen en polsen zijn binnen tandbereik. Dan is het toch veel lekkerder om een ander toe te takelen.

Zo worden de mooiste verhalen hier aaneengeregen met een loepzuivere logica, waardoor de waarheid er eigenlijk niet meer toe doet. 'Als iets te goed lijkt te kloppen,' zei Sherlock Holmes ooit, 'dan is het meestal fictie.'

[...]

Obs droomde over een lange rij kinderen, jongens en meisjes, die in de sneeuw stonden te bibberen. Obs liep naast een soldaat met een pistool, een luitenant die hij ooit ergens in de Balkan had gesproken. De soldaat richtte zijn pistool op het hoofd van het eerste kind en riep: 'Is dit hem?' Obs antwoordde met-

een 'nee', omdat hij vreesde voor het leven van het kind. Maar de soldaat schoot toch. Het kind viel bloedend in de sneeuw. De andere kinderen keken angstig toe, maar ze probeerden niet te vluchten. De soldaat richtte zijn pistool op het volgende kind en vroeg weer: 'Is dit hem?' Obs wist niet wat hij moest zeggen. Hij wou de kinderen wegjagen, maar voordat hij wat kon verzinnen had de soldaat het kind al doodgeschoten. Obs greep de schouders van de soldaat, die zijn pistool toen op obs richtte en de trekker overhaalde. 'Klik,' deed het pistool, waarop de luitenant bulderde van het lachen en, haast gekscherend, zijn pistool richtte op het volgende kind, dat hij zonder pardon neerknalde.

Obs heeft zwetend op de wc een gedicht voortgebracht – Ik ben te dun gesmeerd | als het laatste hoekje boter | dat geschraapt wordt uit de vloot | en traag verdeeld wordt over | het warme sneetje van het leven | waardoor één helft smakelijk is | en de ander taai en droog | ik ben te dun gesmeerd.

[...]

'Deo... Deo... Deo...'
　　Cornelius staat te fluisterroepen vanaf de gang. Mijn deur staat open. Cor durft nog steeds niet dichterbij te komen. Hij is duidelijk geagiteerd. Staat te frunniken en te draaien. Als ik opsta en naar hem toe loop doet hij steeds een stap naar achteren. Ik blijf in de deuropening staan en vraag: 'Wat is er, Cor?'
　　'Heeft U mij niet gehoord?'
　　'Wanneer? Nu net?'
　　'Vannacht. Ik heb vannacht tot U gebeden. Heeft U mij niet gehoord? U heeft het druk. U heeft het zo druk.

Maar ik moest U spreken. Ik had een droom. Een vreselijke droom. Ik moest U waarschuwen voor de Kwade – Diabolus, Satan, Lucifer, Incubus, Azazel, Beëlzebub, Canis Nigrum, de Mosselman. Ik hoor ze fluisteren. Hoort U ze dan niet? U heeft ze gehoord.'

'Cor! Cornelius! Laat die man met rust!' roept Bobby vanaf de groep.

'Geen probleem, Bobby,' roep ik terug. 'Kom even binnen, Cor. Dat praat wat makkelijker.'

'O nee, dat mag niet. Dat mag helemaal niet. Dat is Uw sanctum sanctorum. Dat mag ik niet betreden. Mag ik hier blijven, Deo, alstublieft?'

'Mijn deur staat voor iedereen open, Cor,' probeer ik.

'Ook voor de Mosselman? Toch niet voor de Mosselman? De Mosselman moet buiten blijven. Die mag er toch zeker niet in, de Mosselman? Dat kan niet. Dat mag niet!'

'Wie is de Mosselman, Cor?'

'De Mosselman? Die sprak U laatst. Daar was ik bij. U kent de Mosselman!'

'Bedoel je Ibrahim?'

'Hij heeft vele namen, Deo. Dat moet U weten! Diabolus, Lucifer, Azazel – hij is veranderlijk van vorm, soms zoetgevooisd, een paaier, grijnzend met zijn kaken op elkaar om zijn gespleten tong te verbergen, zijn ogen roodomrand door het hellevuur, de rook, het immer speuren naar zielen, zijn taal onverstaanbaar, rochelend van gif. Wij zijn als pinda's voor hem! Pinda's! Voor het oppeuzelen! Machteloos zijn wij. Maar hij wil ons niet. Hij wil ons helemaal niet! Dat is onze redding. Hij is voor U gekomen. Voor U!'

'Maar ik heb toch het eeuwige leven? Ik ben het leven,'

zeg ik en besef meteen dat ik met vuur speel.

'U geeft het toe! U geeft het toe! Dat is voor het eerst!' Hij wil me komen omhelzen, maar durft niet. Tranen van dankbaarheid stromen over zijn wangen. Hij slaat zijn handen voor zijn ogen, veegt ze vol tranen, verstrengelt zijn natte vingers in gebed, begint te prevelen en roept dan ineens: 'Wat doe ik? U staat hier! U staat hier voor me! Ik zal het aan niemand vertellen. Dat zweer ik U. Niemand mag het weten. Niemand zal het weten!'

'Ik ben God niet, Cornelius. Echt niet,' probeer ik.

'Natuurlijk moet U het ontkennen! Anders loopt U gevaar. O, stom, stom, stom!' Hij slaat met beide handen hard op zijn eigen hoofd. 'Ik kan het doen! Dat is Uw wil! Het is mijn plicht. Ik zal U van hen verlossen. Ik ben maar een man, maar ik ken de geschriften. Er zijn wegen, manieren, incantaties die ik kan aanwenden.'

Dit gaat helemaal de verkeerde kant op. 'Van wie ga je me verlossen, Cor?'

'Maakt U zich geen zorgen. Laat het maar aan mij over. Ik weet ze te vinden. Eerst zijn handlangers, dan met vereende kracht de Mosselman zelf!'

'God is liefde, Cor,' probeer ik.

'Juist daarom!' roept hij. 'Juist daarom. Stilte! Canis nigrum!'

'Wat loop je nou allemaal te roepen, Cornelius?' vraagt Bobby vriendelijk.

'Ik moest de Goddelijke waarschuwen. Ik had een droom,' zegt Cornelius en kijkt mij veelbetekenend aan. 'Ik ga. Ik ga nu. Hij moet rusten, de Goddelijke, hij heeft het druk. Kom, Bobby, kom mee. Ik wil je wat vragen over de vissen.'

'Wat is er met de vissen, Cor?' vraagt Bobby, die nog

even knipoogt over zijn schouder terwijl ze weglopen. Twee stappen later doet Cornelius hetzelfde.

[...]

Samaritaan

Ik weet niet waar ik moet beginnen, Deo. Er is zoveel te vertellen. Mijn kist ligt begraven in de heilige grond van een land verhard door duizenden jaren strijd, talloze verhalen in graniet geschreven, versteende stambomen en hun bikkelharde vruchten, de versmolten geschiedenis van te vroeg gestorven zoons en dochters, uitgestort als een land van ijzer.

Ik draaf door. Ik heb mijn keuze allang gemaakt. Ik ga beginnen bij het einde, op het kruispunt waar ik al zo vaak de dood gevonden had.

Er zit een gat in de voorruit. Twee, drie, vier gaten. De jonge soldaat blijft schieten. Ik stuur op hem af en druk het gaspedaal diep in totdat mijn knie op slot zit. Hij heeft te veel films gezien waarin de auto op het allerlaatst moment tot stilstand komt. Hij blijft schieten omdat hij denkt dat ik nog leef, maar ik ben zo goed als dood. Alleen mijn ambulance leeft nog, aangejaagd door een serie botten die tussen stoel en gas zitten vastgeramd, omgeven door verstijfde spieren. Vluchten is een kunst die vechters slecht verstaan. Ze wachten vaak te lang. De jonge soldaat struikelt terwijl hij, al schietend, opzij probeert te stappen. De bumper rechtsvoor raakt hem vol in het gezicht. Het rechtervoorwiel doet de rest. Ik voel geen voldoening. De haat is weggeëbd, en de frustratie. Er rest alleen nog spijt. Altijd. Spijt om alles wat verloren ging. Spijt om de jongens thuis en hun moeder en de anderen die op mij wachten. Spijt om het verdriet en later de woede die zij zullen voelen. Spijt dat ik dit voor u moet optekenen en dat u het zult moeten lezen omdat u alles zo graag wilt weten.

Het zou onheilspellend stil moeten zijn. Maar dat is het niet. De motor van de ambulance staat nog steeds te gieren tegen de betonnen muur en de makkers van de dode soldaat legen hun wapens doelloos door het dunne staal en broze glas van de ambulance. De *shahid* die achterin verscholen lag heeft nog geen tien passen kunnen lopen voordat ook hij werd neergemaaid. Dat heb jij allemaal kunnen zien, Deo, omdat ik jouw leven heb gered. Ik zweer nogmaals dat ik niet wist dat die hoerenzoon zou instappen. Goed, goed, ik wist dat er een dag zou komen, maar ik wist niet welke. Ze waren bij me aan de deur geweest, drie of vier keer, 's nachts, hun gezichten in sjaals gewikkeld, onherkenbaar. 'We stappen binnenkort bij je in,' zei de langste. Ik wist wat dat betekende. Dat had ik al van anderen gehoord. Geen betere bus dan een ambulance als je bij het front wil komen. Ik ben de tel kwijt, hoeveel collega's ik ben verloren. Gedood, gewond, gearresteerd. Ik probeerde nog met de shahids te redeneren, wees ze op mijn familie, dat ik de enige kostwinnaar was. 'Ze zullen trots zijn op hun martelaar. Het gewapende hart zal goed voor hen zorgen.' Daar moest ik het mee doen. De schurftige honden.

Ik overdrijf. Ze hadden gewoon gelijk natuurlijk. Er moest gestreden worden. Maar dat is makkelijker gezegd als je erbuiten staat, als je zelf niet voor troepentransporteur hoeft te spelen. Ik schrok me rot – jij ook, zag ik – toen hij ineens tevoorschijn kwam en instructies begon te gillen als een dolle geit. Zat jij ineens met de loop van die kalasjnikov in je nek en die schreeuwerd maar roepen dat hij jouw kop eraf zou blazen als we niet onmiddellijk door zouden rijden naar het kruispunt des doods. Jij herpakte je snel. Ik ook gelukkig. Je hebt het gesprek waarschijnlijk niet kunnen volgen, maar ik heb jou mijn wagen uit weten te praten door die overspannen jongen ervan te overtuigen dat hij er niets aan had als jij eraan ging. Gelukkig was het een domme voetsoldaat, want ieder mens met twee hersencellen had kunnen verzinnen dat er geen betere publiciteit is dan een dode Westerse journalist in een ambulance die aan flarden was geschoten door het bezettingsleger. En het hele kruispunt stond vol met jouw collega's, dus dat had de hele wereld kunnen zien.

Hoewel, misschien ook niet, omdat onze strijd de wereld toch geen zier kan schelen. Dat had jij verteld. Eerst wou ik je niet geloven. Toen werd ik boos. Maar jij bleef rustig en hebt het nog eens aan me uitgelegd. Je was een prettige bijrijder. Heel aandachtig en geïnteresseerd. Grappig ook. Cynisch. Dat kon ik wel waarderen. Soms hielp je me op weg als ik de Engelse woorden even niet wist. Maar je was nooit belerend. Altijd vragend. Wat heb ik je veel verteld. Er is nog zoveel te vertellen. Vooral over mijn opa. Ik hield zielsveel van die man. Meer nog dan van mijn moeder.

Hij werd nooit boos. Ik heb hem nooit boos gezien. Dat is bijzonder in een land waar iedereen altijd boos is. Of verdrietig. Waar je al snel als zwak of dom of gevoelloos wordt gezien als je niet brullend van opgekropte woede deelneemt aan gesprekken. Opa stond dan plotseling op en liep naar buiten om op het bankje onder de boom te gaan zitten. Toen was hij al oud en ik al oud genoeg om mee te brullen met de mannen. Maar vroeger was hij altijd bezig. Meestal in de boomgaard. Daar tussen de olijf- en citrusbomen heb ik zijn bovenmenselijke geduld leren kennen. Vooral op de heen- en terugweg als we door de poorten moesten. Hij kon heel goed wachten. We hebben zo vaak samen staan wachten. Voor elke vergunning en elke poort, voor bussen en taxi's en betere tijden. Maar de wachttijd werd nooit verspild. Meestal gingen wij elkaar talen leren. Hij leerde mij hun taal, de taal van de bezetter, en ik leerde hem Engels. Dat had ik geleerd van mijn vriendje Mo. Mijn moeder heeft bij zijn familie in huis gewerkt. Ik mocht soms mee tijdens de schoolvakanties, als ik niet met opa mee kon. Ze hadden in Amerika gewoond en Mo had daar op school gezeten. Ze hadden een Mercedes en een terreinwagen. Waanzin. Hij had een eigen tv en een videorecorder – nog waanzinniger – waar we Disneyfilms op keken. Allemaal in het Engels. Mo kende onze taal maar hij sprak het liefst in het Engels. Hij was twee jaar ouder dan ik, dus we spraken Engels. Zo heb ik het geleerd, de taal van onze verre vijand.

Dat gaf ik weer door aan Opa als we zaten te wachten. Zachtjes natuurlijk, zodat anderen zich er niet mee zouden bemoeien. Dan zei hij een woord in onze taal en moest ik het in het Engels zeggen. En dan zei ik een woord in onze taal en moest hij het in de taal van de bezetter zeggen. Toen ik op een dag het Engelse woord niet wist, maakte Opa een pistool met zijn vingers en fluisterde: 'Hands up!' We moesten allebei huilen van het lachen. Daarna zeiden wij het altijd als de ander iets niet wist: 'Hands up!' Dan moesten we het woord onthouden door het tien keer hardop te zeggen, zodat we het thuis in het woordenboek konden opzoeken.

Later, toen we de vreemde talen beter leerden kennen, begon mijn opa me ook zinnetjes in hun taal te leren:

'We zijn onderweg naar onze olijfbomen.'

'Dit is de kortste weg. Mogen wij hier alstublieft door?'

'Ik wil graag een nieuwe vergunning aanvragen.'

'Hij is mijn grootvader. Kunt u alstublieft een ambulance bellen?'

'Mijn vader/broer/neef/oom zit hier opgesloten. Ik wil hem graag zien.'

'Ik heb niks gedaan. Mag ik nu gaan, alstublieft?'

'Niet schieten, alstublieft.'

'Ik zweer op het graf van mijn moeder.'

Dat laatste kwam overal goed van pas. Daar begon Opa vaak mee. Dat vond ik wel grappig omdat het raar was om te beseffen dat zo'n oude man ook een moeder had gehad. Maar het werkte. Hij kwam vaak door poorten heen waar anderen werden weggestuurd – door zijn geduld en zijn kennis van hun taal. Als het niet meteen lukte zochten wij de schaduw van een boom of de handkar en gingen rustig wachten totdat de wacht was gewisseld. 'Ieder mens is anders,' zei Opa dan. 'Misschien ziet de volgende wacht wel een oude man en zijn kleinzoon die hun olijfbomen willen verzorgen.' Maar vaak gingen we rustig naar de volgende poort, zoals ons bevolen werd. Meestal te voet omdat de handkar mee moest, maar mijn opa kon ook heel goed zielig doen, waardoor we soms mee mochten achter op een vrachtwagen of pick-up. Dat vonden we allebei heerlijk. Dan trok de wereld rustig aan ons voorbij, met al haar geuren, kleuren, geluiden en wanhoop.

Opa vertelde vaak over vroeger. Over de tractor die hij met zijn buurman had gekocht. Hoe trots hij erop was geweest en hoe heerlijk het was om boven op zo'n tractor als een koning tussen je eigen bomen door te rijden. Daarom wou ik ambulancechauffeur worden. Dat was Opa's idee geweest. 'Daar is altijd vraag naar,' zei hij. 'En je mag toch niet meer met een tractor door de poort.' Hij had de zijne inderdaad moeten verkopen omdat hij geen vergunning meer kreeg van de bezetter. Daarna kocht hij een ezel om de wagen te trekken. Eerst had je daar geen vergunning voor nodig, maar later wel. Toen heeft hij de ezel verkocht en ging hij met de handkar. Eerst met de buurman, maar toen die ziek werd en niet meer kon, nam Opa steeds een van mijn oudere broers mee, totdat ze geen vergunning meer kregen omdat ze als volwassen gevaar werden beschouwd. Dan stapte Opa over op de volgende kleinzoon, die wel jong genoeg was om zonder vergunning door de poort te mogen. Ik was de jongste en daarom de laatste die mee mocht.

Ondertussen werd de strijd steeds heviger en werden de regels steeds strenger. Alsof iedereen gestraft moest worden voor de acties van de shahids, die er alles aan deden om de macht van de bezetter te ontwrichten. Soldaten waren een geliefd doelwit, dus de poorten werden onveilig. 'Ieder mens is anders,' legde mijn opa weer uit. 'De een zal zijn daden met zorg voorbereiden en uitvoeren, de ander zal onverschillig handelen. Je weet het nooit.' Daarom moest ik altijd op afstand wachten, uit de buurt van de soldaten. Als we erdoor mochten wenkte mijn opa mij. 'En als er iets gebeurt, doe dan alsof je dood bent. Een spijker sla je nooit met één slag erin.' Toen ik zei dat ik het niet begreep, legde hij uit dat er vaak een tweede aanslag kwam, die vooral slachtoffers maakte onder nieuwsgierigen en hulpverleners. 'Daar heeft je vader me nog voor gewaarschuwd,' vertelde Opa.

We praatten weinig over mijn vader. Opa ging nog weleens naar de politie om te vragen waar hij was, of hij nog vastzat, of hij dood was, waar hij dan begraven lag. Hij deinsde er niet voor terug om mij als pressiemiddel te gebruiken. 'Kijk eens naar die jongen. Dat verdriet. Kunt u zich voorstellen hoe het is?' De meesten waren kortaf maar correct: 'Ik heb een aantekening gemaakt. Komt u volgende week nog eens terug.' Een paar keer lukte het om door te dringen naar een hogere officier. Maar Opa weigerde informatie te geven in ruil voor informatie of vergunningen. 'Dan zou ik wat moeten verzinnen,' legde hij uit, 'want ik weet niks. Ik wil niet weten wat je vader wist, of wat jij ooit komt te weten, of je broers. Ik wil niks weten over het schaduwrijk.' Zo noemde hij de schimmen die 's nachts kwamen en gingen, die stilletjes of met een klap verdwenen. 'Weet je wat het gevaarlijkste dier is, Aziz?' vroeg Opa ooit. 'Een verveelde jongen met niks om handen. Een werkende man heeft het veel te druk en is veel te moe om 's nachts nog te gaan vechten of mensen te bedreigen.' Hij wees naar twee jonge soldaten die tegen de muur hingen in de schaduw, hun mitrailleurs als kindjes in de wieg van hun armen, wijsvingers waakzaam over het oog van de trekker, lachend om het leed dat aan hen voorbijtrok. 'Zij zouden bereid zijn te schieten, alleen maar om hun verveling te doorbreken. Zij zouden er misschien zelfs plezier aan beleven. Hij niet,' zei Opa, wijzend naar een derde soldaat, even oud als zijn maten, die steeds heen en weer liep om vergunningen te controleren. Ook zijn wapen rustte als een stalen waarschuwing op zijn armen, maar hij verveelde zich niet. 'Hij houdt de verveling op afstand door zijn geest en handen in beweging te houden,' zei Opa. 'Je kan beter een drukke man storen dan een slapende. Wacht hier, dan ga ik het aan hem vragen.'

Aan de andere kant van de muur lagen de verlaten boomgaarden van de Miri-landerijen, waar onze voorouders eeuwenlang onder bescherming van de sultan het land hadden bewerkt. Er stond geen enkele grenssteen of kalklijn en al helemaal geen hek of omheining. Ik begreep niet hoe de boeren wisten wat van wie was. Toen ik mijn twijfel hierover uitsprak, vroeg Opa: 'Herken jij jouw eigen hand?' Daar had ik nog nooit over nagedacht, dus ik zei: 'Misschien.' Toen stelde hij een vraag die ik nog moeilijker vond: 'Is jouw hand belangrijker dan die van een ander?' Toen ik daar geen antwoord op had, zei hij: 'Wij delen alle ruimte tussen ons in, toch?' Hij zwaaide met zijn hand in de lucht. 'Deze lucht is van jou en van mij. De grond ook. Waar jij loopt mag ik ook lopen. Zo was het altijd, totdat zij kwamen.'

Hij bedoelde de bezetters, met hun regels en aktes en vergunningen. Ik had daar weleens gesprekken over opgevangen. Buren die boos waren omdat Opa, met zijn onmenselijk geduld, een van de weinigen was die voor zijn boomgaard een akte van bezit had gekregen. De akte bewaarde hij zorgvuldig in het plastic hoesje dat in zijn lederen portefeuille zat. De portefeuille was diep gegroefd met vouwlijnen omdat al Opa's andere vergunningen er ook in zaten. Oude en nieuwe, zodat hij altijd het juiste document paraat had. En dat was dubbel nodig aan de Miri-kant van de muur, want je werd zonder pardon naar de poort teruggebracht als je een patrouille tegenkwam en niet de juiste papieren bij je had. De vermoeide soldaten leken er plezier in te scheppen nog strengere regels te verzinnen dan de poortwachters. Het spelletje was als water voor hen, een dorstlesser voor droge kelen. Ze lieten ons rustig een uur in de brandende zon staan terwijl zij via de radio alles natrokken. En meer dan eens werden we ook nog gesommeerd om geen gebruik meer te maken van de patrouilleweg. Dan moesten we de handkar over het oneffen terrein sleuren totdat je hijgend het zweet van je eigen armen wou likken. Ik haal me zonder moeite vijftig gezichten voor de geest waar ik een kogel doorheen zou willen jagen. Maar Opa bewaarde altijd trots zijn geduld, bleef even hoffelijk en verried nooit zijn woede, ongemak of angst.

Zodra we bij onze bomen aankwamen kreeg ik van Opa wat te eten en drinken en mocht ik even in de schaduw slapen terwijl hij aan de slag ging. Wanneer ik wakker werd ging ik zelf aan de slag. Stenen rapen en dragen om de dammetjes om bomen heen te repareren; of zagen en scharen aangeven in de snoeitijd; of emmers dragen en legen tijdens de pluk, die ieder jaar minder drukbezocht werd door behulpzame familie, waardoor er steeds meer vruchten onder de bomen lagen te rotten. 'Als we hier een grote katapult bouwen, dan kunnen we de hele stad met fruit bombarderen,' zei ik ooit. Opa moest daar heel hard om lachen omdat hij op hetzelfde idee was gekomen. 'Of een toren vol olijfolie,' voegde hij toe, 'die we in een dikke straal over de muur kunnen spuiten.' Het is er jammer genoeg nooit van gekomen.

Het einde werd aangekondigd door een stofwolk aan de horizon. Vanaf een heuvel zagen wij bulldozers aan het werk. 'Dat wordt geen weg,' zei Opa, 'dan gaan ze heen en weer in lange stroken. Hier gaan ze rond en rond.' Toen we dichterbij wilden kijken werden we al snel benaderd door een patrouille. Vluchten was dodelijk geweest want er werd steeds op afstand een wapen op ons gericht. We moesten op de grond gaan liggen en weer werden al Opa's vergunningen gecontroleerd. Daarna moesten we met de patrouille meelopen naar de dichtstbijzijnde poort, waardoor we sneller thuis waren dan anders. 'We moeten vaker zo'n escorte regelen,' grapte Opa, die merkte dat ik inmiddels al oud genoeg was om boos te zijn in plaats van bang.

Steeds dichterbij kwam het noodlot. Niet dagelijks of wekelijks maar telkens als Opa bij zijn boomgaard was geweest. 'Er kan een hoop veranderen als je even je ogen sluit,' zei Opa nadat hij had verteld dat de bulldozers zijn bomen al tot bij het heuveltje hadden genaderd. En hij kreeg nu altijd bezoek van een patrouille. 'U moet uw bomen verzorgen anders vervalt het land aan de staat,' werd hem gemeld. Opa probeerde uit te leggen dat hij maar al te graag dagelijks bij zijn bomen had willen zijn maar dat de poort zo vaak dicht bleef. 'Daar hebben wij niks mee te maken,' zei de patrouilleleider. 'Dat moet u met de vergunninggever opnemen.' Opa wist dat er niet viel te redetwisten tegen zoveel onwetendheid. 'Een steen zal nooit een sinaasappel worden,' zei hij.

De volgende keer kreeg Opa van de patrouilleleider, weer een ander, te horen dat hij weg moest uit de boomgaard omdat iemand over hem geklaagd had. Toen Opa vroeg wie dat was, wees de soldaat naar een groepje mannen die in de verte bij een tafel stonden te stoeien met aan groot stuk papier waar de wind mee speelde. Voor hen draaiden de bulldozers nog steeds hun dansje in de zon.

'Wat gaan ze bouwen?' had Opa gevraagd.

'Er komen huizen,' antwoordde de soldaat. 'Voor onze mensen.'

Over deze overbodige toevoeging moest Opa smakelijk lachen toen hij het verhaal thuis vertelde. Vooral omdat hij heel onschuldig aan de soldaat had gevraagd: 'Weet u het zeker?' Waarna de soldaat had bevestigd dat hij het zeker wist.

Het was natuurlijk helemaal niet grappig. Er kwamen steeds meer nieuwe werklui naar het groeiende dorp en Opa kreeg minder vaak toegang tot zijn boomgaard. Bovendien kwam de patrouille dan elke keer weer vertellen dat er klachten over hem waren geweest.

'Ik heb ook een klacht,' had Opa ze gezegd. 'Meer dan de helft van mijn bomen is leeggeroofd.'

'Dan moet u maar vaker op uw land aanwezig zijn,' zei de patrouilleleider.

Opa wees op de sporen van zware laarzen van de werklui die om zijn bomen cirkelden en heen en weer liepen naar het bouwterrein.

'Als u er niet bent, dan weten ze natuurlijk niet dat het land van u is,' zei de patrouilleleider. 'Straks moeten we ook nog vogels gaan arresteren als ze uw onbewaakte vruchten opeten!'

Daar kon Opa wel om lachen omdat de man het niet slecht bedoelde. Maar het was natuurlijk helemaal niet grappig. Het was dan ook de laatste keer dat ik Opa zag lachen, want zelfs zijn moedige geest was niet bestand tegen de ellende die hem daarna overspoelde.

Op een dag kwam hij 's avonds laat alleen terug uit de boomgaard, zonder handkar, maar bedekt met stof en onder de schrammen en blauwe plekken. Zijn neus was gebroken en er zat een diepe snee boven zijn linkeroog. Hij zei tegen mij dat hij was gevallen, maar later hoorde ik dat hij was geslagen en geschopt door een groepje jonge mannen, die vanuit het nieuwe dorpje op hem af waren gelopen en, zonder een enkele vraag te stellen hem op de grond hadden gegooid zodat hij een makkelijke prooi was voor hun zware laarzen. De patrouille had hem ontzet en was heel behulpzaam geweest. Ze hadden hem water gegeven en hij mocht tot aan de poort meerijden met een legervoertuig. Daar had een buurman hem zien lopen en hem naar huis gebracht.

We waren allemaal woedend. Mijn twee oudste broers zijn meteen de volgende dag, tegen Opa's wil, een klacht gaan indienen bij de autoriteiten. Mijn broers kregen te horen dat er alles aan gedaan zou worden om de zaak uit te zoeken en een oplossing te vinden. Toen Opa weer in staat was om naar de boomgaard te gaan, alleen, omdat wij geen van allen meer mee mochten, kwam hij erachter wat die oplossing was. Ze hadden met bulldozers Opa's boomgaard en die van zijn buren bijeen geveegd en in brand gestoken. De verkoolde resten lagen midden in een grote cirkel as, die weer midden in een kale vlakte lag waarin de geblokte sporen van rupsbanden in steeds grotere spiralen vanuit het centrum liepen. 'Het zag er heel netjes uit,' zei Opa, alsof dit de pijn enigszins verlichtte.

En dit is maar één van de verhalen die ik jou heb verteld, Deo. Ik zou nog twee levens nodig hebben om al het leed dat ons is berokkend met jou te delen. De vermoorden, de gewonden, de gearresteerden, de getreiterden, de vernederden – de lijst is eindeloos. Ook boze mannen die domme dingen doen natuurlijk, maar vooral rustige mensen zoals mijn Opa, die me tot zijn laatste adem bleef aanmoedigen om iets goeds te doen met mijn leven. 'Je kan altijd nog boos en dom worden,' zei hij. Daar had hij groot gelijk in.

Ik was niet van plan geweest om die soldaat aan te rijden en al helemaal niet om mezelf lek te laten schieten. Maar er gebeurde iets vreselijks daar op dat kruispunt. In eerste instantie kon ik door het stof niet goed zien waar de soldaten op stonden te schieten. Ik wou even wachten maar de shahid achterin zei dat ik moest doorrijden, dat hij zijn makkers moest helpen die dekking hadden gezocht tussen het puin. Toen zagen wij de oude man en het jongetje, die zich in de nis van een muur probeerden schuil te houden. De man gebruikte het vuile hemdje van het jochie als witte vlag en hield zijn andere arm over het hoofd van zijn zoon of kleinzoon om hem te beschermen. Ik herkende ze meteen. Wij waren het. Opa en ik. De kogels maakten boze wolkjes op de grond en muren om hen heen. Ik wou hen beschermen door mijn ambulance in de vuurlinie te zetten. Maar ik was te laat. Een paar soldaten waren al met een omtrekkende beweging begonnen zodat ze precies in de nis konden mikken. Het jongetje werd als eerste geraakt en viel om. Toen ben ik van richting veranderd en op de schietende soldaten ingereden. Dat was de domste en laatste beslissing van mijn leven.

[...]

EH: Ik heb uw vriend Guido gesproken.
Deo: Goed zo.
EH: Wat een bijzonder lieve man. En hij sprak vol lof over u.
Deo: Da's fijn om te horen.
EH: Hij vond dat u een prachtboek had geschreven en zei dat er geen woord van was gelogen.
Deo: Mensen willen graag dingen geloven.

EH: Kom, kom, niet zo cynisch. Hij vertelde dat Dirk
       en Martijn inderdaad overleden waren, en Thierry
       ook inmiddels. Hij besefte pas later, toen hij het
       boek had gelezen, dat u het zelf was geweest die bij
       hem over de vloer kwam om hem te interviewen.
       Dat vond hij wel vreemd. Dat u zich als iemand an-
       ders voordeed. Hij was blij te horen dat u nog leef-
       de. Waarom doet u dat eigenlijk? Waarom steeds
       die gedaanteveranderingen?

Deo: Dat heb ik al aan je uitgelegd.

EH: Om uw identiteit te beschermen? Dat snap ik nog
       wel als u met gevaarlijke gesprekspartners omgaat,
       maar waarom zou u dat met een voormalige ken-
       nis doen? Iemand die u geen kwaad zou kunnen of
       willen berokkenen?

Deo: Heb je ooit met een vreemde gesproken, Eugène?
       Niet beroepsmatig, maar gewoon in een kroeg? Ie-
       mand die je zomaar tegen het lijf loopt, die ineens
       vragen durft te stellen, die geboeid lijkt te zijn door
       jou, die volstrekt onbevangen op zoek lijkt te zijn
       naar jouw essentie, die simpelweg nieuwsgierig
       lijkt te zijn?

EH: Ja, dat is me weleens overkomen. Maar...

Deo: Voelde je je gevleid dat iemand zo benieuwd naar
       jou was? Dat iemand meer leek door te dringen tot
       jouw kern dan welke vriend of kennis dan ook? Dat
       iemand zich openstelde voor jouw waarheid zon-
       der enig oordeel of vooroordeel? Vond je dat pret-
       tig?

EH: Nou ja, inderdaad.

Deo: Die vreemden zijn inmiddels vrienden geworden,
       toch?

EH: Soms wel, ja. Maar ik begrijp niet precies waar u heen wilt...

Deo: Heb jij nog steeds hetzelfde soort indringende gesprekken met die vrienden? Of is dat steeds meer verwaterd? Dat jullie alles al zo'n beetje van elkaar weten? Dat jullie het steeds meer over anderen hebben en over de beslommeringen van alledag? Over zaken die eigenlijk niet van wezenlijk belang zijn? Koetjes en kalfjes? Smalltalk? Slap geouwehoer?

EH: Nou, ja en nee...

Deo: Ik heb een pishekel aan slap geouwehoer, Eugène. Ik heb veel liever honderd gesprekken met wildvreemden dan honderd gesprekken met dezelfde persoon. Vooral omdat de onbevangenheid zo snel vervliegt. Als iemand zijn ziel en zaligheid aan mij heeft blootgelegd, dan denken ze al snel: 'O jee, wat heb ik allemaal aan die man verteld?' De volgende keer gaan ze zich al inhouden, omdat ze niet willen dat ik alles weet, omdat ze bang zijn voor mijn oordeel, bang dat ik hen niet meer zo aardig zal vinden, dat ik me zal terugtrekken uit de relatie, dat ik de ontluikende vriendschap zal opzeggen. Maar dan ben ik allang weg, Eugène. Dan weet ik alles al, of bijna alles, of meer dan genoeg. Ik ben als een schim die op de stoel van de biechtvader gaat zitten en vervolgens vertrekt voordat er vergiffenis wordt verleend en een passende boetedoening wordt uitgesproken. Als mensen wat van me willen of verwachten, als ze verlangens koesteren of hoop op meer, als ze mij aan zich willen verbinden tot aan de dood, dan sterft meteen de onbevangenheid, dan gaan mensen zich beter voordoen dan ze zijn. Of liever gezegd: ze gooien de deuren naar de donkere achterhoeken van hun geest dicht. Alle duistere geheimpjes gaan netjes achter slot en grendel. En laten dat nou net de dingen zijn die mij het meeste boeien.

EH: Ik vind dit een bijzonder cynisch verhaal. En het lijkt niet helemaal te stroken met de werkelijkheid, want u heeft vrienden en u heeft vrienden gehad.

Deo: Hè gelukkig. Wijs ze alsjeblieft aan. Geef me hun telefoonnummers. Dan ga ik meteen even bij ze te rade, een dikke knuffel halen, een biertje met ze drinken.

EH: Maar Staal was toch een vriend van u? En 'Malle Mick' ook, dacht ik?

Deo: Staal was een boeiend experiment, een onderzoeksobject. En Mick is als een trouwe hond die zichzelf weet te voeden, waar ik geen omkijken naar heb. Eigenlijk is hij nog minder dan een hond, omdat hij niks van mij verwacht. Hij vindt het fijn om met mij te wandelen en belt me daarom op.

EH: Zo kan alles toch herleid worden tot een nutsprincipe, tot egoïstische verlangens?

Deo: Kun je bewijzen dat dat niet zo is, Eugène? Kun je bewijzen dat we als volwassenen niet gewoon gedreven worden door dezelfde infantiele behoefte naar de moederborst, door de angst voor verlies, door onze behoefte aan warmte en saamhorigheid? Het zijn allemaal simpele dierlijke behoeften. Het enige verschil is dat we het kunnen benoemen, het erover kunnen hebben met elkaar, het kunnen aanwenden om elkaar te sturen en overtuigen, gedreven door eigenbelang.

EH: Er zijn toch ook mensen die hun leven in dienst stellen van anderen? Barmhartige mensen?

Deo: Niet zo naïef, Eugène. Ook dát doen ze uit eigenbelang. Het geeft hen een goed gevoel, ze slapen rustiger of ze geloven dat de hemelpoort zich dan voor hen zal openen. Ze willen zich niet schuldig voelen. Dat zie je al bij hele jonge kinderen. Die zijn het meest onbevangen, toch? Maar ze hebben al snel door dat mammie en pappie boos worden als ze bepaalde dingen doen, of juist laten. Dat vinden de kindjes niet leuk. Vervolgens doen ze het niet meer, of ze doen het stiekem.

EH: Maar dient uw werk als journalist dan geen hoger doel?

Deo: Dat ik stilletjes hoop dat ik de wereld kan redden in mijn eentje, bedoel je? Denk na, Eugène. Het draait allemaal om de spanning, de kick om iets los te peuteren, het gelukzalige gevoel dat je weer een reis naar de hel hebt overleefd, dat je in je eigen bed wakker wordt uit een nachtmerrie. Die diepere drijfveren worden verzonnen ter meerdere eer en glorie van degene die ze nastreeft. Wat kijk je beteuterd, Eugène? Ik vertel je toch niets nieuws?

EH: Ik kom dit soort nutsdenken, het onversneden eigenbelang, het hedonisme, weleens tegen bij psychopaten en sociopaten, maar die verbergen het in het algemeen, of ze beperken zich tot de beleving ervan en zijn niet in staat om het zo te doorgronden, zo te verwoorden. Heeft u het gevoel dat u buiten of boven de wet staat? Dat de normale regels van de menselijke omgang niet voor u gelden?

Deo: Wat zijn die regels dan, Eugène?

EH: Ik geloof dat u dat donders goed weet, maar ik zal het wat specifieker formuleren: de regels waardoor u nu hier zit. Vindt u dat die regels voor u gelden?

Deo: Laat ik het zo stellen: ik besef dat het in mijn eigen belang is om me aan die regels te houden of, als ik me er echt niet aan kan houden, dat dan zo onopvallend mogelijk te doen.

EH: U ziet dus een onderscheid tussen goed en fout?

Deo: Ik weet wat er volgens de regels wel en niet mag. Dat wordt er met de paplepel ingegoten en desnoods met de stok ingeslagen. Maar daarbij blijft het toeval steeds buiten beschouwing.

EH: Het toeval?

Deo: Kiezen mensen om onder erbarmelijke omstandigheden te leven, Eugène? Kiezen ze om criminelen te worden, om hun familie uit te moorden, om een vreemde een kogel door zijn kop te jagen, om kinderen te misbruiken? Of worden ze toevallig zo geboren, of door een ongelukkige aaneenschakeling van toevallige omstandigheden omgetoverd tot een mens die niet in staat is om het onderscheid te maken tussen goed en fout? Een roofdier dat gedreven wordt door honger, door een verlangen naar alles wat hem ontzegd is.

EH: Ik snap waar je heen wilt, maar dat ligt ver buiten het kader van mijn taken en van dit onderzoek. Hoe u het ook wendt of keert, u wordt binnenkort beoordeeld en veroordeeld op de mate waarin u heeft beseft wat de gevolgen van uw daden hadden kunnen zijn.

Deo: Geef toe, Eugène, jij weet even goed als ik dat dat allemaal een wassen neus is: de mate van toerekeningsvatbaarheid, voorbedachten rade, willens en wetens. Als een hond vaak genoeg geslagen wordt, dan wordt hij vals, dan kan hij beter worden afgemaakt. Bij mensen ligt dat wat moeilijker. We willen ze niet meer afknallen, maar we willen de maatschappij wel tegen ze beschermen. Eigenlijk zouden we ze het liefst levenslang willen opsluiten. Maar dat kan ook al niet. Dus ze moeten behandeld worden in de hoop dat ze ooit weer de maatschappij kunnen betreden. Maar ergens weten we ook dat dat helemaal niet kan. Ik weet wat ik ben, wie ik ben geworden, wat ik allemaal heb meegemaakt. Volgens jullie regels maak ik nog een kans, ben ik geen hopeloos geval, maar eigenlijk weten we wel beter. Dat hebben de stemmen mij verteld.

EH: Welke stemmen?

Deo: De stemmen die ik net voor je heb verzonnen, Eugène. Die ik zo makkelijk zou kunnen voorschotelen als ik dat zou willen. Het was een grap, Eugène. Een flauwe grap.

EH: Ik kan er eerlijk gezegd niet om lachen. U bent een intelligente man, meneer De Heer. Ik snap dat u in staat bent om heel diep na te denken over de grondslagen van menselijk gedrag en over de ethische, morele en sociale aspecten van de regels die worden voorgeschreven. Maar ik geloof niet dat u beseft wat voor gevolgen het kan hebben als u zich anders voordoet dan u bent.

Deo: Laten we er geen doekjes om winden, Eugène. Ik

weet donders goed wat mijn beste optie is: tijdelijke ontoerekeningsvatbaarheid door toedoen van alcoholmisbruik in combinatie met medicijnen. Dat is lekker makkelijk te behandelen. Even het afkickprogramma volgen, misschien een korte straf uitzitten, of een boete in combinatie met een taakstraf. Het feit dat ik dat van hieruit kan beoordelen zegt niks over mijn toerekeningsvatbaarheid ten tijde van het voorval, toch?

EH: Nee, maar ik moet dit wel allemaal in mijn rapport vermelden. En ik weet niet wat de rechter daarvan vindt. De gevolgen zijn voor uw eigen rekening. Daar heb ik geen vat op.

Deo: Dat lijkt me duidelijk.

[...]

EH: Ik wil graag nog even terugkomen op uw vorige stukken. Daarin laat u zich nogal cynisch uit over religie. Dat lijkt niet helemaal te stroken met uw zelfgekozen naam: Deo. Het roept allerlei vragen op...

Deo: Jij wilt weten of ik denk dat ik God ben?

EH: Ik heb uit betrouwbare bron begrepen dat u liever niet als zodanig wordt gezien door uw medegedetineerden. En ik geloof dat dat ook verstandiger is.

Deo: Je hebt met Greg gesproken.

EH: Inderdaad. Hij was onder de indruk van uw verzoek en hij zei ook dat u bang was voor de mogelijke gevolgen.

Deo: 'Bang' is niet het juiste woord. 'Voorzichtig' ligt dichter bij de waarheid. Jij begrijpt even goed als ik

dat we hier met de vleesgeworden onvoorspelbaar-
heid te maken hebben. En ik wil liever niet wakker
schrikken doordat iemand mijn ogen aan het uit-
lepelen is omdat ze vermoeden dat ik allesziend
ben.

EH: 's Nachts gaan alle deuren op slot. Maar ik begrijp
dat u zich hierover zorgen maakt. Ik begrijp nu ook
beter wat u bedoelde toen u zei dat iedereen hier
getraumatiseerd zou raken.

Deo: Stel, je hebt een aardige labrador, die onder buiten-
gewone omstandigheden een andere hond heeft
gebeten. Zou je hem dan in een kuil vol valse honden gooien om te zien of hij ook vals is? En zo ja,
is het dan redelijk om normaal gedrag van hem te
verwachten?

EH: Ik snap wat u bedoelt, maar dit is een beproefde
methode en er wordt alles aan gedaan om jullie veiligheid te waarborgen.

Deo: Bedoel je die IW'ers, die als een stelletje kleuters
met elkaar lopen te bekvechten? Die hebben niet
eens in de gaten dat ze de boel ophitsen. En die
kunnen er onmogelijk altijd tussen en bij staan.

EH: U voelt zich bedreigd?

Deo: Jezus, Eugène, ik weet waar dit soort mannen toe
in staat is. Maar meestal heb ik meerdere vlucht-
wegen tot mijn beschikking. Nu is dat niet het geval. Als het erop aankomt, dan staat er geen enkele
IW'er tussen, dat weet ik zeker. Daar valt niet zo
veel aan te doen, maar ik mag toch in ieder geval
verwachten dat ze hun kinderlijke ruzietjes ergens
anders uitvechten?

EH: Ik zal het zeker aankaarten. Bedankt voor uw open-

hartigheid. Morgen gaat u naar de psychiater. Ik
ben benieuwd naar haar bevindingen.
Deo: Haar?
EH: Ja. Willemien Boenders. Een zeer ervaren collega.
Deo: Ongetwijfeld.

[...]

*Obs droomde dat hij tussen de kalveren stond in een kraal. Hij
had een taak. Als een van de beesten zijn hoofd optilde om te
loeien, moest obs zijn handen in de opengesperde bek stoppen
en de kaken krachtig uiteen trekken, totdat de schedel open-
spleet en de hersenen als een roze puist tevoorschijn kwamen.
Eugène zat toe te kijken op het hek en riep steeds dat de kalveren
er niks van voelden en dat het juist goed voor ze was.*

*Obs heeft vervolgens weer lange tijd op de wc zitten schrijven.
Hij heeft nog steeds niet de laxeerpillen ingenomen, uit angst
dat hij dan alle controle kwijtraakt. Obs probeerde met zijn fan-
tasie zijn darmen in beweging te brengen. Hij was een grote tube
bruine verf die langzaam werd leeggeknepen door King Kong.
Er werd een industriële stofzuiger op zijn kont gezet. Er werd een
mol bij hem ingebracht die zich steeds dieper zijn darmen in-
groef. Hij was de dikke man die net op de wc zat toen het cruise-
schip omsloeg, waardoor er zo'n sterke zuiging in het scheeps-
riool ontstond dat de darmen van de man door zijn kont naar
buiten werden getrokken.*

[...]

'Komt u mee?' vraagt Bobby.
    'Waar gaan we heen?'

'U heeft een afspraak met mevrouw Boenders, de psychiater.'

Terwijl ik mijn gympen aantrek doet hij de deur dicht en zegt: 'Ik heb begrepen dat u zich nog steeds onveilig voelt hier. Bent u bang?'

'Voorzichtig,' antwoord ik.

'Da's logisch. Die jongens zitten hier niet voor niks,' zegt Bobby. 'Maar wij zijn er toch altijd bij?'

'Ik weet hoe snel een slang kan toeslaan.'

'Dat komt omdat u Afrikaan bent,' lacht hij. 'We houden het goed in de gaten, oké? En we proberen ervoor te zorgen dat er minder gekibbeld wordt.'

'Dat zou fijn zijn. Zullen we?' vraag ik.

'Tandjes poetsen? Haartjes kammen?'

'Geen grappen over mijn haar, Bob.'

'Kam dan uw tandjes maar. Daar zit genoeg haar,' grinnikt Bobby.

Terwijl ik mijn tanden poets praat Bobby verder: 'U zit nog steeds veel te schrijven, hè? Waarom komt u nou niet een keer naar de werkplaats? Dan kunt u ook nog wat bijverdienen voor de kantine. Er zit een aantal slimmeriken bij de dienbladen. Volgens mij past u daar goed tussen.'

'Zie jij mij dienbladen mozaïeken, Bob?'

'Kokosmatjes weven dan?' lacht hij.

'Ik ga binnenkort eens kijken, oké?'

'Meer kan ik niet vragen.'

[...]

Ze zou een heel knappe man zijn geweest. Begin veertig, kortgeknipt donker haar, groene ogen, een knokige neus die misschien ooit door een hockeybal gebroken is. Ze loopt met rechte rug, borsten vooruit. Pezige sportershanden steken sterk en rustig uit haar donkere colbert. De pijpen van haar strakke spijkerbroek eindigen in halfhoge blauwe laarsjes met lage hakken, die hol en rustig tikken als ze heen en weer loopt. En dat doet ze, al pratend, nadat ze mij heeft gevraagd om te gaan zitten. Zo zijn de verhoudingen duidelijk.

Ze legt uit dat ze nog niks over mij weet omdat ze mij zo onbevangen mogelijk wil spreken. Ze legt uit dat ze aantekeningen gaat maken en dat het gesprek opgenomen wordt. Ze vraagt of ik er bezwaar tegen heb dat Bobby in de hoek blijft zitten, maar maakt meteen duidelijk dat mijn mening hierover er niet toe doet omdat de regels haar verplichten om bla, bla, bla. Bobby blijft.

'Hoe maakt u het hier, meneer De Heer?' vraagt ze.

'Ik vind het hier heerlijk,' antwoord ik.

Ze glimlacht en gaat even met me mee. 'Dat doet me deugd. U bent een van de weinigen die dat vindt, vermoed ik.'

Ik hoor Bobby achter me grinniken.

'Wat voor werk doet of deed u?' vraagt ze.

'Ik ben schrijver. Journalist.'

'Dat vergemakkelijkt de zaken,' zegt ze opgelucht.

'Hoezo?'

'Dan weet ik hoeveel u redelijkerwijs van mijn uitleg zal snappen. Het is soms heel moeilijk uitleggen wat ik doe, wat mijn taken zijn. Zullen we daar maar even mee beginnen?'

Ze wacht mijn antwoord niet af en legt uit dat ze drie vragen moet beantwoorden. Het is alsof ze voorleest, maar ze doet het allemaal uit het blote hoofd. Indrukwekkend. Ik voel zelfs een vlinder in mijn buik, een kleine, vermoeide.

1) *Was er bij observandus ten tijde van de ten laste gelegde feiten sprake van een gebrekkige ontwikkeling of een ziekelijke stoornis van de geestesvermogens?* 'De medische verslagen en persoonlijkheidsonderzoeken zullen daar uitsluitsel over geven. Die ga ik binnenkort doornemen. Alleen als de aard en omvang van de stoornis zijn vastgesteld, alsook hoe dit mogelijk tot beperkingen en dysfuncties bij u leidt, kan ik overgaan tot het beantwoorden van de tweede vraag.'

2) *Is het aantoonbaar dat elementen van de stoornis van invloed zijn geweest op observandus' vermogen tot reflectie en daarmee op zijn keuzes en handelen?* 'We kijken dus eerst of u iets heeft, en gaan pas daarna kijken of dat heeft meegespeeld tijdens uw delict, waar ik zo meteen op terugkom nadat u mij heeft geholpen met het beantwoorden van de derde vraag.'

3) *Is er behoefte aan specifieke zorg/medicatie om de veiligheid van de observandus en anderen te waarborgen?* 'Zou u daar antwoord op kunnen geven?'

'Tellen nicotine en alcohol als medicatie?' vraag ik. 'Want ik zou me een stuk rustiger voelen als ik wat vaker een sigaret en een stevige borrel zou mogen nuttigen.'

'Champix?' vraagt ze, al schrijvend.

'Is dat de wijnboer uit Asterix en Obelix?'

Ze heeft mooie lachrimpels. 'Ook bekend als varenicline. Een middel dat de behoefte naar nicotine en alcohol vermindert. Ik zou het kunnen voorschrijven.'

'Lijkt me heerlijk.'

'De meesten hier gebruiken het, nietwaar, Bobby?'

'Zeker,' antwoord Bobby.

'Heeft u een sterke drang tot het nuttigen van alcohol?'

'Zuip ik te veel, bedoelt u?'

Ze ratelt een rijtje vragen af, waar ik overal 'ja' op moet antwoorden, en komt tot de weinig verrassende conclusie dat ik alcoholist ben. Nu ben ik aan de beurt om haar te verrassen. 'Ik had Lariam gebruikt.'

'Lariam zegt u? Het anti-malariamiddel?' Ze schrijft het woord in hoofdletters op met drie uitroeptekens en onderstreept het.

'Ja, ik was de kuur nog aan het afmaken toen ik door het lint ging,' zeg ik.

'Zou u mij daar iets over willen vertellen? Over het incident?'

'Ik weet het alleen van horen zeggen. Zelf kan ik me er niks van herinneren.'

'U ging door het lint, zegt u. U had een woedeaanval?'

'Blijkbaar. Ik heb begrepen dat ik verschillende mensen verminkt heb met een gebroken glas of glazen. In een journalistenkroeg.' Ik laat de littekens op mijn vingers en palmen zien.

Ze kijkt aandachtig naar mijn handen en maakt weer een aantekening. 'Was u dronken ten tijde van het incident?'

'Ik had stevig gedronken die avond, ja.'

'Heeft u in het verleden ooit last gehad van woedeaanvallen?'

'Ik ben weleens boos, ja.'

'Ik bedoel: heeft u al eens eerder mensen fysiek letsel toegebracht?'

'Ja.'

'Zou u daarover willen uitwijden?'

'Liever niet.'

'Wellicht een volgende keer.' Ze gaat de informatie gewoon ergens anders halen. 'Wilt u wat meer vertellen over uw werk?'

'Het staat allemaal in de verslagen.'

'Inderdaad, maar ik was benieuwd naar het eerste dat bij u opkwam.'

'Dood en verderf.'

'Dat kan ik me voorstellen. Waar bent u allemaal geweest?'

'Ook dat staat allemaal in de verslagen. Ik probeer er zomin mogelijk over na te denken.'

'Heeft u last van nachtmerries? Voelt u zich weleens angstig?'

'Bijna constant.'

'Zou u dat voor mij kunnen omschrijven? Wat u voelt?'

'Heeft u kinderen?' vraag ik.

'Ja. Hoezo?'

'Zijn ze weleens ternauwernood aan de dood ontsnapt?'

Ze moet even nadenken. 'Mijn zoontje is soms een ongeleid projectiel.'

'Herinnert u zich nog het gevoel van misselijkmakende schrik die u daarbij voelde?'

'Ja.'

'Dat voel ik bijna constant als ik nuchter ben.'

'Dat lijkt me heel vervelend.'

'Ja, dat is heel vervelend.'

'Ik wou het niet bagatelliseren, hoor.'

'Dat begrijp ik.'

'Champix werkt eveneens als antidepressivum, maar ik zou ook slaappillen en kalmeringsmiddelen kunnen voorschrijven als u dat wilt?'

'Ik probeer het eerst even met Champix. Ik moet alert blijven.'

'Alert blijven?'

'De zombies hier zijn het kwetsbaarst.'

'Zombies? Bedoelt u observandi die antipsychotica krijgen toegediend?'

'De levende doden, ja.'

'U zegt dat u alert moet blijven?'

'Misschien is het u opgevallen dat er hier een hoop hele gevaarlijke mannen rondlopen.'

Ze glimlacht. 'Bobby en de anderen doen er alles aan om uw veiligheid te waarborgen.'

'Zeker,' zegt Bobby.

'Dat is een hele geruststelling.'

'Ik bespeur enig sarcasme.'

'Een aangeboren afwijking.'

Ze blijft aantekeningen maken. 'Wat vindt uw familie ervan dat u hier zit?'

'Ik heb heel weinig contact met ze.'

'Is dat uw eigen keuze?'

'Ja.'

'Zou u erover willen uitweiden?'

'Er valt niet zo veel over te zeggen. Het staat allemaal in de verslagen.'

'Inderdaad. Ik begrijp uit uw eerdere opmerking dat u kinderen heeft.'

'Ja. Twee. Ze wonen bij hun moeder.'

'U bent gescheiden?'

'Ja. Het staat...'

'...allemaal in de verslagen, ja. Die ga ik binnenkort goed doornemen zodat ik volledig op de hoogte ben. Daarna ga ik in overleg met mijn team en dan kom ik weer bij u terug. We zullen elkaar nog wel een paar keer spreken. Dan kunnen we tot een goed gefundeerde beoordeling komen.'

'Dat zou fijn zijn.'

'Ik geef dit recept voor Champix aan Bobby mee. Hij zal het voor u regelen.'

'Prima.'

'Heeft u verder nog vragen?' Ze sluit het dossier en ik zie voor het eerst haar volledige naam staan: Stambolić-Boenders.

'Komt uw man uit Joegoslavië?'

Ze slaat het dossier weer open en schrijft verder. 'Mijn man is van oorsprong Bosnisch. Hoezo?'

'Ik ben er geweest.'

'Als journalist? Tijdens de oorlog?'

'Ja.'

'Vreselijk.'

'Ja.'

'Misschien kunnen we daar de volgende keer op terugkomen?'

'Prima.'

[...]

Verslag van Willemien Stambolić-Boenders, psychiater

Observandus oogt gezond maar vermoeid, blijkt uitermate intelligent en lijkt in eerste instantie redelijk rustig. In de loop van het gesprek wordt hij steeds onrustiger, trilt met beide hielen op de grond, friemelt met zijn nagels

en zit steeds aan zijn nek en baard. Obs is een
roker en dit gedrag zou daarmee verband kunnen
houden. Hij geeft zelf aan dat zijn alcoholconsumptie bovenmatig is. Ik heb Champix voorgeschreven om de behoefte enigszins te onderdruk-
ken.

Obs geeft aan dat hij ten tijde van zijn delict Lariam gebruikte. In combinatie met alcohol kan dit middel bijdragen aan een psychotische toeval. Obs geeft aan dat hij last heeft
van nachtmerries en angstgevoelens als gevolg
van zijn werk als journalist in oorlogsgebieden.
Het is niet ondenkbaar dat obs lijdt aan post-
traumatisch stresssyndroom en dat bovenstaande
factoren van invloed zijn geweest op zijn gedrag
ten tijde van het delict. [...]

Obs heeft een zwartgallig gevoel voor humor en spreekt zich sarcastisch uit over zijn
omstandigheden. Hij geeft aan dat hij nauwelijks contact heeft met zijn familie maar gaf
wel blijk van zijn gevoelens jegens zijn kinderen middels een treffende omschrijving van zijn
angstgevoelens, die hij vergeleek met de schrik
en angst die men voelt als hen iets overkomt.
Obs veegde daarbij meermaals over zijn voorhoofd, dat duidelijk bezweet was.

[...]

'U heeft het goed gedaan, meneer De Heer,' zegt Bobby onderweg naar de groep.

'Vind je?'

'U ging in ieder geval niet huilen,' lacht Bobby.

'Doen ze dat weleens?'

'Er zitten goeie acteurs tussen.'

'Wat levert dat op?'

'Ze willen minder gevoelloos lijken, denk ik.'

'Grappig.'

'Trouwens, ik had al gezegd: u hoeft zich geen zorgen te maken over de mannen.' Dan lacht hij: 'En u begint al vrienden te krijgen.'

'Iedereen die niet mijn keel doorsnijdt en mijn nog warme lichaam verkracht is mijn vriend.'

'Die ga ik onthouden,' lacht Bobby.

[...]

Nazgûl

Het begon met de lijst, Deo. Althans, dat was het begin van het einde voor mij. De ellende is natuurlijk allemaal al veel langer geleden begonnen. Met de grootmachten die over ons land heen trokken, de eb en vloed van oorlog, waarbij de zee van het Oosten en die van het Westen elkaar troffen. Steeds weer werden wij gedwongen te kiezen, of we werden geregeerd door een nieuw regime waarvan de overblijfselen tot op heden terug zijn te vinden in onze architectuur, cultuur, muziek, talen, religies en bovenal de uiteenlopende groepen mensheid die onze bergen bevolken. Ons land is van iedereen en niemand. Of je nou een lichtblauwe, een rood-witgeblokte of een rood-wit-blauwe vlag voor je huis hebt hangen, we horen hier allemaal. We hebben allemaal weleens de verkeerde kant gekozen als er een nieuwe grootmacht op bezoek kwam. Soms wisselde dat van dorp tot dorp, soms van straat tot straat en soms zelfs van huis tot huis en kamer tot kamer. Dat heeft diepe wonden achtergelaten, kleine brandhaarden en conflicten die steeds weer de kop in werden gedrukt door de heersende grootmacht. We hebben dus eeuwenlang een soort gedwongen vrede beleefd, die zo nu en dan werd verbroken als een nieuwe grootmacht onze rust verstoorde. Dan werd het litteken weer ruw opengescheurd en kolkte het oude bloed weer uit de wond, de haat, het onverwerkte verlies, de roep om wraak, het onbegrip, de gekte die net onder de huid nog altijd lag te kloppen. En steeds weer werd het litteken met grof geweld dichtgenaaid.

Deze geschiedenis is mij met de paplepel ingegoten door mijn vader, een simpele boer wiens eigen vader, mijn grootvader, in de oorlog van '40-'45 samen met zijn broers en vele andere partizanen als een varken is afgeslacht door de fascisten uit het noorden en hun lokale handlangers, degenen die toen aan de beurt waren om de verkeerde kant te kiezen. Mijn grootmoeder wist te vluchten met mijn vader in haar buik en werd in de bergen opgevangen door een gemeenschap die zelf vijftig of honderd of tweehonderd jaar daarvoor als vluchtelingen in het gebied was neergestreken. 'Wij zijn verbonden en verdeeld door het leed van onze voorouders,' zei mijn vader weleens. 'En juist daarom moeten wij altijd waakzaam zijn.'

Zodra ik sterk genoeg was kreeg ik een hagelgeweer in mijn handen gedrukt. Op mijn zevende heb ik al mijn eerste haas geschoten. Ons huis hing vol wapens die ik allemaal voor mijn tiende als een derde arm wist te gebruiken. Dat gold ook voor mijn broers en zussen. Maar zij gaven allen toe dat ik het beste oog had en het meeste geduld. Daarom droeg ik tijdens de lange wandeling naar huis vaak twee geweren: die van mij en die van degene die mijn trofee moest dragen. Die traditie had mijn vader ingesteld: wie niks schiet, moet dragen. Ik vermoed dat ik de enige was die het een goede regel vond. 'Jij bent gezegend, Miloš,' riep mijn vader telkens weer. Dan zag ik de ogen van mijn broers en zussen in hun kassen rollen. Mijn vader was te trots of te dom om te begrijpen dat afgunst zo wordt geboren. Ik werd de pispaal van mijn oudere broers en dat werd alleen maar erger toen het duidelijk werd dat ik ook goed kon leren. Dat wist ik lange tijd goed te verbergen totdat mijn leraar op een avond onverwachts bij ons aanklopte en aan mijn ouders vroeg waarom ze mij nog niet hadden aangemeld voor een schooltraject dat mij zou voorbereiden op een universitaire studie. Mijn vader begreep het eerst niet goed en riep dat ik helemaal niet dom was en dat de leraar zich moest schamen dat hij ons huis zo beledigd had. Toen de arme man het verder had verduidelijkt zaten mijn ouders eerst lange tijd met open mond naar mij te staren met een soort bewondering en afschuw, alsof een ruimtewezen hen had uitgekozen als gastgezin. Daarna waren ze bijzonder trots en blij. Ze konden er niet over ophouden. Jammer genoeg zag ik alleen maar de gezichten van mijn broers en zussen, die ook aan tafel zaten om het goede nieuws in ontvangst te nemen.

Het was een hele opluchting toen ik op mijn zeventiende met een staatsbeurs naar de hoofdstad mocht om bouwkunde te gaan studeren, maar ik was een boerenpummel die zich staande moest zien te houden tussen de mondaine stadskinderen, die allemaal een bibliotheek thuis leken te hebben en ouders die schreven of componeerden of bedrijven beheerden. Gelukkig bleek het allemaal wel mee te vallen, vooral omdat er hier geen onderscheid werd gemaakt tussen verschillende groeperingen, afkomsten en achtergronden. Sterker nog, dat soort scheidslijnen werd verafschuwd en verworpen zodat eenieder vrij was om zijn of haar eigen politieke, culturele, literaire en muzikale voorkeuren te ontwikkelen en ze met passie te verkondigen en te verdedigen. Ik was als een spons die alles in zich opzoog. Ik nam iedere uitnodiging aan om iets nieuws te zien of te horen of te lezen. Tussendoor vond ik ook nog de tijd om Duits en Engels te studeren. Dat bleek een goede keuze te zijn want ik had nog nooit zo veel beeldschone vrouwen bij elkaar gezien. De een nog eleganter, slimmer en uitdagender dan de ander. En ook zij stonden open voor allerlei nieuwe ervaringen.

Zo kwam ik Malika tegen, wier naam als een drietrapsraket in mijn mond rondstuiterde – Ma-Li-Ka – en wier vurige tong mij naar alle hoeken van het heelal vervoerde. Als ik haar zag veranderden mijn botten in yoghurt en sloeg ik een soort wartaal uit die altijd in nerveus gelach leek te eindigen. Ik vond het vreselijk, maar zij vond het charmant. Ik was misselijkmakend verliefd en ontdekte bij mezelf ook een heel andere emotie die ik nog nooit eerder had meegemaakt: jaloezie. En dat was jammer omdat het al snel duidelijk werd dat Malika niet van plan was om een keuze te maken tussen haar aanbidders. Ook dat had ik nog nooit meegemaakt: een vrouw die zich niet stoorde aan allerlei archaïsche regels over liefde en trouw.

Toch was het het mooiste jaar van mijn leven. Ik was zo geobsedeerd door de liefde, de nieuwe vriendschappen en de uitzinnige ervaringen dat ik geen oog had voor de donkere wolken die zich boven onze bergen begonnen te verzamelen. En dat gold eveneens voor veel van mijn medestudenten. Maar het nieuws werd steeds grimmiger. De strijdbijlen werden afgestoft. De oude scheidslijnen begonnen zich weer af te tekenen. De politieke discussies op de universiteit werden steeds feller, maar iedereen leek zich ervan bewust te zijn dat wij verheven waren boven de simpele zielen die alweer naar de wapens grepen, zich wilden afscheiden, gebieden wilden heroveren, de Ander wilden verjagen of verdelgen. Eerst waren wij ervan overtuigd dat er een politieke oplossing gevonden zou worden, dat wij gevrijwaard zouden blijven van de stammenstrijd die nu elders in ons land in alle hevigheid was losgebarsten. Het was voor ons onvoorstelbaar dat wij onze medestudenten, onze vrienden, te lijf zouden gaan. We waren ons meestal niet eens bewust van hun afkomst. Daar werd nooit naar gevraagd. Maar dat zou snel veranderen. Vooral voor mij.

Mijn vader belde in paniek op. Er was een lijst. Er zou een lijst zijn. Hij had hem zelf niet gezien, de lijst, maar hij wist zeker dat er een lijst was. Ook op de televisie en radio hadden ze het over de lijst, zei hij. Onze namen stonden op die lijst. De hele familie. Iedereen. We stonden allemaal op de lijst. Een neef van een buurman had hem gezien, de lijst, met al onze namen erop. Een zwarte lijst was het. Een dodenlijst. Iedereen die op de lijst stond moest dood. Zij hadden de lijst opgesteld en wij gingen er allemaal aan. Iedereen die op de lijst stond. Tenzij wij samen stonden. Dan waren we sterk. Dan konden we degenen die de lijst hadden opgesteld te grazen nemen. Dat had mijn vader op de radio gehoord. Mijn broers ook. Die waren al thuisgekomen. Zij wisten ook van de lijst. Had ik dan niks gehoord over de dodenlijst? Keek ik weleens naar de televisie? Straks worden we allemaal uitgemoord, iedereen op de lijst, door onze eigen buren, en dan zit ik daar in de hoofdstad lekker te niksen.

De verbinding werd verbroken voordat ik kon reageren. Ik wou wel naar huis, maar ik had helemaal geen zin om te vechten. Was ik bang? Een lafaard? Misschien. Maar ik was vooral smoorverliefd op Malika en ik was het bovendien met mijn medestudenten eens dat een nieuwe oorlog geen blijvende oplossing zou brengen. We hadden toch samen bewezen dat we de oude geschillen en verschillen konden verwerpen, begraven?

Maar ook in de hoofdstad groeide de onrust als een puist. Er werden barricades opgeworpen op toegangswegen naar bepaalde buurten. Ik en vele andere medebewoners van de stad volgden onze moedige president in een ongewapende opstand hiertegen. We wisten de gewapende militiemannen te overtuigen dat ze hun barricades moesten afbreken. Maar onze vreugde over deze overwinning van de rede was van korte duur. Niet lang daarna regende het eerste bombardement op de hoofdstad neer. Er vielen doden en gewonden. De sfeer werd grimmiger. Het was bijna onmogelijk om overdag de hoofdstad in of uit te gaan. Water en stroom en voedsel raakten schaars, maar we probeerden er het beste van te maken, bleven optimistisch en bestreden onze angst met flauwe, harde grappen, die soms op de muren van de stad werden gekalkt.

Het was rond deze tijd dat mijn vader belde om te melden dat mijn broer Zoran dood en verminkt was aangetroffen in een greppel. Dat was natuurlijk nooit gebeurd als ik thuis was geweest.

Mijn oudste broer Josip kwam me met de auto halen. De rit naar huis in het donker was een helletocht. Het was hemelsbreed maar vijftig kilometer door de bergen, maar we reden zonder licht over landweggetjes om de controleposten van de 'Vijand' te ontwijken. Het was alsof mijn broer ineens een compleet andere taal sprak, die bevolkt werd door mythische wezens, de een nog bozer en gevaarlijker dan de ander: Groenmutsen, Chetniks, Arkanovci, Martićevci, Patriotten, Ustashas, Draken, Blauwhelmen, Šešeljovci, Specijalci, Vitezovi en ga zo maar door. Alsof ik in een boek van de Engelse schrijver Tolkien was beland.

'Er ligt wat op de achterbank voor je,' zei Josip.

'De ring?' grapte ik, maar Josip leek het niet te horen.

'Zoran bleef maar zeggen dat we hem voor jou moesten bewaren. Dat je terug zou komen.'

Ik tastte in het donker en voelde door de deken het zware staal van een jachtgeweer. Heel even zag ik weer die eerste haas in volle vlucht tuimelen.

De begrafenis was in vele opzichten verbijsterend. Een boerenzoon werd als volksheld begraven. Moeder en vader droegen hun verdriet waardig en trokken zich al snel terug om verder te rouwen. Gelukkig, want ik had nog een scheldkannonade van mijn vader tegoed. Veel voormalige schoolvrienden waren in uniform gekomen of droegen de insignes van volksmilities. Ik had nog nooit zo veel snorren en baarden gezien, allemaal van dichtbij want ik werd begroet als een verloren zoon die dicht tegen de borst gedrukt moest worden. Later zijn we allemaal samen naar de schuur gegaan om ons verdriet tot laat in de nacht te verdrinken met vele flessen rakija. Naarmate de tongen losser werden kwam ook de haat opborrelen, de roep om wraak, de uitzinnige verhalen over dodenlijsten en gruweldaden en halve waarheden die ze als zoete koek hadden geslikt.

Bij het ochtendgloren werd ik door mijn broer gewekt. 'Kom,' fluisterde hij. 'We gaan jagen.' Samen stapten we in de auto en reden over landweggetjes naar de bossen toe. Op de hobbelige weg met vele bergbochten moesten we een aantal keren stoppen om te braken. Toen we niet meer verder konden rijden lieten we de auto achter en gingen te voet de berg op, hijgend en spugend over welbekende maar bijna onzichtbare paden. Onderweg vertelde mijn broer enthousiast over de jachtgeweren met vizier waarvan de draagbanden diep in onze schouders beten. Ik vond zijn gekwetter vreemd, vooral omdat we zo geen enkel dier zouden kunnen verrassen. Toen ik dit aan hem meedeelde moest hij heel hard lachen. 'Je was vroeger zo'n slimme jongen, Miloš. Wat hebben ze je allemaal aangedaan daar op die universiteit?'

Aan de andere kant van de berg hadden we vanaf een grote rotspuist tussen de bomen goed zicht op de rivier, de weg en het dorpje dat aan het water lag. Josip ging liggen op zijn buik en zei dat ik dat ook moest doen. Hij richtte zijn jachtgeweer op het dorp, keek door het vizier en zei: 'Zie je die brug?'

Ik keek door mijn vizier en antwoordde: 'Ja.'

'Zie je die Groenmuts die naar die auto toe loopt?' vroeg Josip.

De wandelende soldaat met mitrailleur leek heel dichtbij. Ik kon het insigne op zijn schouder bijna lezen. Mijn 'ja' werd overstemd door de knal van Josips jachtgeweer. Ik zag hoe de inslag van de kogel de arm van de soldaat als die van een lappenpop de lucht in wierp. Hij draaide een halve slag in de rondte en kwakte neer op de brug. Hij leefde nog. Hij greep naar zijn bloedende schouder. Zijn maten renden naar hem toe. En weer knalde Josips geweer. Een tweede soldaat lag doodstil op de brug, zijn hoofd uiteengereten door de kogel. De soldaten zochten, al schietend met hun mitrailleurs, dekking op de brug. Josip bleef ijzig kalm en vroeg: 'Maak jij die eerste even af?'

'Ik wil hier weg,' riep ik.

'Dat zou ik nu niet doen,' zei Josip. 'Dan zijn wij het haasje. En dat wil ik niet. Zij zijn het haasje. Zij hebben Zoran als een varken afgeslacht, zijn ogen uitgesneden en zijn ballen in zijn mond gepropt.'

Ik haalde heel diep adem, hoorde het suizen in mijn oren, richtte op de nek van de gewonde soldaat en haalde de trekker rustig over. Het ging heel gemakkelijk. Ik weet niet eens of ik hem heb geraakt want ik had mijn aandacht al verlegd naar een andere Groenmuts, die met een verrekijker onze positie probeerde te bepalen. Hij leek me recht aan te kijken en wou net iets roepen toen mijn kogel hem de mond snoerde.

'We moeten nu toch echt gaan,' zei Josip rustig. 'Ze hebben zwaar geschut.'

Ik zag nog net hoe de soldaten een kanon in stelling duwden op de brug. Josip en ik waren al aan de andere kant van de berg als dwazen over het bospad aan het rennen toen de eerste granaat ver achter ons insloeg tegen de bergwand. Er volgden nog twee explosies, maar toen zaten we alweer in de auto. Als een volleerde rallyrijder bracht Josip ons over de kronkelende paden terug naar huis. Ik was verworden tot een kakelende imbeciel die beurtelings kreten van opluchting en voldoening slaakte totdat de adrenaline begon weg te ebben en een grote leegte in me achterliet.

Ik wou het incident graag vergeten en teruggaan naar de hoofdstad, maar Josip kon zijn mond niet houden. Voordat de nieuwe dag ten einde was hadden we al een bijnaam, de Zwarte Engelen, en werd ik door onbekende strijders stevig omhelsd en verwelkomd. De druk om te blijven werd steeds groter, vooral nadat ik tijdens het eten de angst en woede van mijn ouders had gezien. Mijn moeder was bang dat ik een terugkeer naar de hoofdstad niet zou overleven, en mijn vader zei dat hij mij voor altijd uit de familie zou verstoten als ik niet nu mijn plicht vervulde door mijn talent in te zetten tegen de vijand. Mijn zussen voegden daaraan toe dat zij verhalen hadden gehoord over vrouwen die gevangen waren genomen en dagenlang op gruwelijke wijze verkracht werden door dronken soldaten.

Ik kon niet meer terug en de Zwarte Engelen werden steeds op nieuwe strijdtonelen ingezet. Overal werden we met open armen ontvangen, als sinistere helden die op afstand specifieke doelen heel klinisch konden uitschakelen. Josip regelde zwarte uniformen voor ons en bivakmutsen zodat we voor velen onherkenbaar waren. Zo kon ik ook dat moorddadige deel van mezelf afscheiden, als een acteur die een kostuum aantrekt en dan het podium oploopt als iemand anders. Vaak kwamen we 's nachts als schimmen aan en hadden al onze posities ingenomen en de klus geklaard voordat de reguliere strijders wakker waren. Daarna gingen we ons afmelden bij de commandant en vertrokken stilletjes, of onder luid gejuich van onze strijdmakkers, zonder onze identiteit prijs te geven. Zo groeide onze bekendheid uit tot mythische proporties. Het was alsof iedereen een verhaal over ons kon vertellen. Het was dan ook niet verrassend dat we uiteindelijk werden gevraagd om in de heuvels boven de hoofdstad stelling te nemen.

Ik herkende de plaats bijna niet meer terug. Veel van de gebouwen waren beschadigd door de dagelijkse bombardementen en er liepen nauwelijks mensen op straat. Wij hadden de stad verzegeld zodat er niks in of uit kon en ik hoopte dat mijn voormalige vrienden al lang en breed vertrokken waren. Natuurlijk wisten de stadsbewoners welke plekken het gevaarlijkst waren, waar ze binnen het zicht en het bereik van onze geweren waren. Dus Josip en ik zochten steeds naar nieuwe posities van waaruit we ze konden verrassen. We gingen ook steeds vroeger in de ochtend en later in de avond jagen, als de mensen dachten dat ze veilig waren.

Op een avond toen Josip en ik net een nieuwe schietlijn hadden ontdekt, werden we bijna meteen beloond met een stelletje dat nietsvermoedend aan het wandelen was. De jongen had een groene muts op. Ik had hem al doodgeschoten voordat ik de tijd had genomen om het stel goed te bekijken. Vooral omdat ik Josip voor wilde zijn. Door mijn vizier zag ik het meisje naast haar vriend knielen. Hij was achter een betonnen blok gevallen en ik kon eigenlijk alleen nog zijn voeten zien. Het hoofd van het meisje verdween steeds even, alsof ze mond-op-mondbeademing aan het geven was. Haar lange haar hing als een donker gordijn langs haar gezicht. Het was Malika. Althans, dat dacht ik. Voordat ik de kans had om het te bevestigen verscheen er een vreemde bobbel die zich leek los te maken uit haar voorhoofd. Toen pas hoorde ik de knal. Ook zij verdween achter het betonblok. Alleen de levenloze voeten van de jongen waren nog te zien. Ik keek naar Josip, die breed grijnzend zijn duim opstak.

Kort daarna kwam ik jou tegen, Deo. Het voorval had me diep geraakt en ik probeerde mezelf met rakija te verdoven in een van de voorsteden van de hoofdstad die wij hadden veroverd. Ik hoorde dat je Engels sprak en we raakten aan de praat. We hadden het over onze favoriete schrijvers en al snel had je mijn vertrouwen gewonnen. Het kon geen kwaad om het hele verhaal met jou, een buitenstaander, te delen.

Weet je nog dat ik vertelde dat we als Tolkiens Nazgûl waren, die vanuit de lucht dood, verderf en angst zaaiden? Met die gedachte in mijn hoofd wankelde ik terug naar mijn onderkomen. Maar ook ik bleek niet onsterfelijk te zijn. Ineens zag ik een flits, alsof er een foto werd gemaakt. Ik deed mijn hand nog omhoog om mijn ogen af te schermen, maar ik lag al op de grond. Toen klonk het tweede schot. Waarschijnlijk was de dood jou gevolgd om mij te vinden.

[...]

'Wat zit je nou allemaal te schrijven, man?' vraagt Num.
    'Ik ben journalist. Het is mijn werk.'
    'Schrijf je ook over ons?' Hij gaat ervoor zitten.
    'Meestal over dingen die er buiten zijn gebeurd. In andere landen.'

'Je zou ook over ons moeten schrijven, man. Lekker maf. Dat wordt een bestseller!'

'Denk je? Mensen lezen al genoeg over misdaad. Al die thrillers.'

'Dat bedoel ik. Een triller. Je zou een triller over Sharkie en mij kunnen schrijven!'

'Een bankroofje, een ripdeal – niet echt boeiend.' (Plop doet het aas. Kom maar op, visje.)

Num leunt voorover en fluistert: 'Nee, man, veel meer dan dat...' Hij heeft salami gegeten.

'O, wat dan?'

Hij maakt een snijdende beweging met zijn platte hand over de tafel en doet 'sssjiek'. Hij kijkt me veelbetekenend aan. Ik doe alsof ik het niet begrijp. Num kijkt geërgerd over zoveel domheid en mimet vervolgens een dode na – tong eruit, rollende ogen, hoofd op de schouder gekanteld.

'Zijn jullie mimespelers geweest? Dat is pas erg,' lach ik.

'Lul,' fluistert Num en scheurt een hoekje uit mijn schrijfblok. Met mijn pen schrijft hij heel klein, langzaam en voorzichtig één woord. Hij schuift het naar me toe, houdt het met één vinger vast en maant mij tot stilte met een vinger op zijn lippen. Er staat: *Huurmordenars*.

Als ik hem verbaasd en vragend aankijk propt hij het papiertje in zijn mond, kauwt er even op en slikt het door.

'Dat is al een stuk interessanter,' zeg ik.

'Zei ik je toch.'

'Hoeveel? Een? Twee? Drie?' vraag ik.

Num kijkt verbolgen en gaat ze allemaal eens uitgebreid voor de geest halen. Het duurt even voordat hij zegt: 'Negen. Nee, tien! Een keer waren er twee. Was ik effe vergeten.'

'Da's niet mis,' zeg ik, oprecht onder de indruk.

'Ja, ennuh...' knikkend wrijft hij dikke stapels onzichtbare cash tussen zijn vingers. 'Allemaal verstopt.'

'Wow. Hoeveel?'

'Weet ik niet precies. Maar het is veel. Heel veel.' Hij denkt even na en vraagt dan: 'Als je nou een boek zou schrijven, zou mijn naam er dan in staan? Dat zou ik te gek vinden.'

'Natuurlijk. Of alleen jullie voorletters. Of een schuilnaam.'

'O ja, dat zou beter zijn natuurlijk. Je weet niet wie het leest.'

'Precies.' Het is gewoon aandoenlijk. 'Hoe kennen jullie elkaar eigenlijk?'

'Sharkie is een vriend van mijn moeder. Hij kwam vroeger bij ons over de vloer als hij moest schuilen, weet je? Ik heb mijn eigen vader nooit gekend. Toen ik aan de dope raakte en begon te ontsporen, ik was toen dertien of zo, heeft Shark me onder zijn vleugel genomen. Hij heeft voor me gezorgd, weet je? Later zijn we samen op stap gegaan. We zijn een soort partners.'

'Maar Shark is de baas, toch?'

'Wat dacht je? Natuurlijk, man. Kut, ik mag eigenlijk helemaal niet met jou praten van hem.'

'Da's vervelend. Ik zal het niet tegen hem zeggen.'

'Bedankt, man. Ik spreek je nog. Ennuh...' Hij legt zijn vinger weer op zijn lippen en loopt naar de pingpongtafel.

[...]

EH: Het waren weer boeiende verhalen, maar ik werd er eerlijk gezegd een beetje mismoedig van. U ook, heb ik begrepen.

Deo: Van wie?

EH: Ik heb Willemien gesproken. De psychiater.

Deo: Je haalt twee dingen door elkaar, Eugène: mijn geestesgesteldheid en mijn behoefte aan nicotine en alcohol.

EH: Misschien was het te kort door de bocht. U had haar ook verteld dat u nog steeds last heeft van nachtmerries en angstgevoelens.

Deo: Vind je dat vreemd, Eugène?

EH: Integendeel. Ik dacht alleen dat ik daar misschien mee zou kunnen helpen.

Deo: Heel aardig van je maar het kalf is al verdronken en uiteengereten door piranha's.

EH: De Champix helpt toch wel een beetje?

Deo: De Champix is heerlijk, Eugène. Ik kan al bijna niet meer zonder.

EH: Dat is niet helemaal de bedoeling natuurlijk. U lijkt wel redelijk gevoelig voor verslavingen. Klopt dat?

Deo: Inderdaad, Eugène. Bovenaan mijn lijstje slechte gewoontes staan vrijheid en rechtvaardigheid.

EH: Wilt u daar wat meer over vertellen?

Deo: Ik kan niet zonder. En beide zijn hier maar mondjesmaat beschikbaar.

EH: Het is vrij normaal dat gedetineerden zich hier bij tijd en wijle aan gaan storen.

Deo: Je bedoelt dat ze er een schurftige tyfushekel aan krijgen, Eugène, en zich steeds meer als gekooide dieren gaan voelen en gedragen?

EH: Ik begrijp uw woede. Zullen we het ergens anders over hebben?

Deo: Graag.

EH: Ik ben zelf in Israël geweest. Een jaar.

Deo: Lekker socialistje spelen op de kibboets zeker.

EH: Het is al een tijd geleden. Ik heb er een hoop geleerd.

Deo: Heel fijn voor je, Eugène. Luister, ik snap wat je probeert te doen. Je wilt een band scheppen via gedeelde ervaringen, zodat je dieper kunt doordringen in mijn gevoelsleven enzovoort. Maar dat is nergens voor nodig, want de waarheid staat als een paal boven water. Ik ben door het lint gegaan doordat ik te veel heb gedronken in combinatie met Lariam en meer dan twintig jaar dood en verderf. Schrijf dat verslag nou maar en zorg dat ik zo spoedig mogelijk mijn onterechte straf kan uitzitten.

EH: U vergeet de vinger.

Deo: Welke vinger?

EH: De vinger in het potje, die u bij u had toen u werd gearresteerd.

Deo: Die is niet van mij. Dat had ik al verteld.

EH: Wie zou nou zoiets in uw bagage stoppen? En waarom?

Deo: Misschien was het als waarschuwing bedoeld. Misschien heeft een of andere mafkees een lijk in stukken gehakt en de delen in verschillende koffers verstopt. Weet ik veel. Zullen we het ergens anders over hebben?

EH: Prima. Ik heb begrepen dat u steeds vaker gesprekken aangaat met uw mede-observandi.

Deo: Mensen willen graag dingen bij me kwijt. Ze kakken graag op mijn stoep.

EH: Sommigen zien u als leidsman, wist u dat?

Deo: Des te meer bewijs dat ze niet goed snik zijn.

EH: Daar ben ik het niet mee eens.

Deo: Wat zullen we nou beleven, Eugène?

EH: (Lacht) Ze zien u echt als leidsman, geloof ik.

Deo: Dan moeten ze daar snel mee ophouden.

EH: Schrijft u niet meer over uw belevenissen hier? Uw laatste stukken gaan steeds over uw werkervaringen in den vreemde.

Deo: Mijn gesprekken met anderen gaan niemand wat aan.

EH: Nee, dat begrijp ik, maar ze zouden wel verder inzicht verschaffen in uw geestesgesteldheid en in die van hen.

Deo: Volgens mij heb je meer dan genoeg materiaal om mee te werken, Eugène.

EH: Absoluut, maar ik zit in een lastig parket...

Deo: Een lastig parket? Hoezo?

EH: Het zijn uw zorgen niet.

Deo: Kom op, Eugène. Ik kan het aan, echt waar.

EH: Nee, laat maar. Ik wil het veel liever over iets anders hebben: uw kinderen.

Deo: Doe me een lol, Eugène...

EH: Ik weet dat u dat vervelend vindt, maar uw ex-vrouw heeft mij laten weten dat uw dochter u graag wil spreken.

Deo: Dat wil ik niet.

EH: Waarom is dat?

Deo: Dat is in hun eigen belang.

EH: Ik heb van Willemien begrepen dat u toch warme, beschermende gevoelens voor hen koestert. Zij schrijft in haar verslag: 'Hij geeft aan dat hij nauwelijks contact heeft met zijn familie maar gaf wel blijk van zijn gevoelens jegens zijn kinderen middels een treffende omschrijving van zijn angstgevoelens, die hij vergeleek met de schrik en angst die men voelt als hen iets overkomt.'

Deo: Dat klopt. Juist daarom.

EH: Juist daarom wilt u geen contact met hen?

Deo: Precies. Ze zijn al genetisch belast met mijn pechvogelschap. Ik wil het niet erger maken door een onderdeel te zijn van hun leven.

EH: Ik snap uw bezorgdheid, maar ik wil toch voorstellen dat u haar te woord staat. Het zou allemaal in uw voordeel kunnen zijn als u bereid bent om verder vorm te geven aan uw relatie met uw familie.

Deo: (Lacht) 'Verder vorm te geven', Eugène?

EH: Goede banden met familie en vrienden zijn een teken van geestelijke gezondheid. Momenteel lijkt dit het grootste hiaat in uw leven.

Deo: (Lacht) Hiaat? Denk je dat ik het allemaal zo gepland heb? Dat ik het hiaat kan vullen met één gesprekje?

EH: Natuurlijk niet, maar het zou een stap in de goede richting kunnen zijn.

Deo: Wordt het gesprek afgeluisterd?

EH: Het wordt opgenomen, ja, maar u mag zelf beslissen of u het wilt laten meewegen in ons eindoordeel. Het zou in uw voordeel zijn als u mij toestaat om het achteraf te beluisteren.

Deo: Wanneer moet ik bellen?

EH: Heel goed! Ik regel het contactmoment en dan laat ik u roepen.

Deo: Prima.

EH: We zijn uw broer trouwens ook op het spoor. Hij
         blijkt een aantal keer te zijn verhuisd.

Deo: Waarschijnlijk om mij te ontlopen.

EH: Dat lijkt me onwaarschijnlijk.

Deo: Je zou verbaasd zijn, Eugène.

[...]

De Champix lijkt bizarre wendingen te geven aan mijn dromen. Mijn oudere broer, Ace, rent achterstevoren over een smal pad met dichte doornbossen aan weerszijden. Hij draagt een jong neushoorntje in zijn armen. Het beestje zit onder het bloed. De moeder rent achter hem aan. Haar kop is laag bij de grond, gereed voor de aanval. Ik sta met mijn blote voet op de hoorn van het woedende beest en klem me vast aan haar oortjes. Ik ram steeds met mijn vrije hiel in haar linkeroog, maar de neushoorn is niet te stoppen. Ik roep naar Ace: 'Laat los! Draai je om! Van het pad af!' Maar de doornbossen zijn als een muur vol naalden. De neushoorn haalt Ace in en we worden beiden de lucht in geworpen door de machtige stoot van haar kop. Ik krimp tot een balletje ineen, in afwachting van de doornen, maar ik zweef zonder schrammen door het struikgewas heen. Ineens hang ik in de lucht, net voorbij de rotsrand van een afgrond. Ik val.

[...]

'Papski?'

    Ik herken haar stem niet meer, wel het koosnaampje, dat waarschijnlijk door haar moeder is ingefluisterd. Ze is nu bijna zeventien. Mijn zoon moet dan vijftien zijn. De misselijkheid maakt zich als een diepe zucht los.

    'Ik hoor je adem, pap.'

'Ja, ik ben er, Tess. Weet je moeder dat je met mij belt?

(Stilte.) 'Is dat écht je eerste vraag? Natuurlijk heb ik het met mama besproken.'

'Waarom wil je me spreken?'

'Omdat ik dat fijn vind, omdat ik me zorgen maak. Vind je dat vreemd? Jezus, ik begrijp nu waarom ze jou zo'n lul vindt.'

'Niet ophangen. We proberen het opnieuw.'

'Goed. Begin maar.'

'Je stem lijkt op die van je moeder.'

'Da's echt een compliment, bedankt.'

'Ik hoor ook haar sarcasme...' (Lul, lul, lul.)

'Pap...' (Ik hoor de tranen in haar stem.)

'Tess? Ik heb hier niet om gevraagd. Ik wou jullie hiertegen beschermen, begrijp je?' (Het hoge woord is eruit. Ze moet zich herpakken. Ze is alleen. Misschien op haar kamer. De deur dicht. Omringd door de laatste restjes jeugd. Alleen haar twee favoriete knuffels nog op het bed: Visnikop waarschijnlijk en...) 'Hoe heette dat aapje van jou ook alweer, die knuffel?'

'Beer.'

'Het was toch een aapje?'

'Hij heet Beer. Jij zei altijd dat het een aapje was...'

'Maar het is dus een beer.'

'Nee, het is een aapje. Dat zag ik pas later. Maar hij lijkt op een beer.'

'Heb je hem nog?'

'Hij zit hier naast me op bed.'

'En Visnikop?'

'Ligt ook hier. Goed dat je dat nog weet.'

(Hoe nu verder? Misschien toch maar weer een klap uitdelen.) 'Dit is niet goed voor jou. Ik wil dit niet.'

'Dat maak ik zelf wel uit. Waarom eigenlijk niet?'

'Dat kan ik niet zo goed uitleggen...'

(Stilte. Nee, toch een muziekje op de achtergrond. Ver weg.)

'Heb je wel eens die advertenties voor asielhonden gezien?'

'Ja.'

'Daar staat soms bij: "goed met kinderen". Bij mij...'

'Je bent geen hond, pap.'

'Nou, het scheelt niet veel. Woef-woef.' (Ik doe echt mijn best.)

'Ik ben geen kind meer, pap.'

'Dat bedoel ik. Ik ben hier gewoon heel slecht in. Ik kan dit niet.'

'En als ik het nou wil? Wat dan? Wil je dan ook niet?'

'Ik wil het ook heel graag. Ik wou het ook. Maar ik kan niet. Ik ben vals geworden. Een valse hond. Niet goed met kinderen.'

'Jezus, wat een kutexcuus!' (Ze is er bijna. Nog even een laatste zetje.)

'Je zal het ermee moeten doen, Tess.'

'Wat ben je voor een kutvader!' (Ooit zal ze me dankbaar zijn.)

'Een hele slechte, Tess. Dat is precies wat ik bedoel.' (Ik hoor haar heel hard snikken. Het rafelige natte inademen. En nu de hoorn erop. Maar dat mag niet. Zij moet het doen. Het moet haar beslissing zijn.) 'Ooit zul je begrijpen hoeveel ik van jullie hou. Dat beloof ik.'

'Nooit! Ik zal het nooit begrijpen!' (Door merg en been de leegte in.)

'O lieverd toch...' (Ik herken haar moeders stem. De telefoon wordt afgepakt en uitgezet.)

[...]

U heeft ze waarschijnlijk ook, beste lezer, kinderen. En zo niet, dan weet u waarschijnlijk nog heel goed hoe het was bij mammie en pappie. Weet u nog hoe blij u was toen u weg mocht? Hoe u juichend met uw tasje de drempel over rende omdat u dacht dat u voorgoed van het gezeik af zou zijn? Hoe u nooit meer zou hoeven verduidelijken en verklaren waarom u iets wel of niet deed, hoe uw reddingsbootje ineens los kwam te staan van het logge schip? Hoe u naar hartenlust kon dobberen zonder dat iemand vroeg waarheen? Hoe u eindeloos in uw bed kon rotten zonder vervelende vragen, hoe u kon zuipen tot u erbij neerviel, hoe er een zware last van uw schouders afviel?

De meeste mensen begrijpen hun ouders pas écht als ze zelf kinderen krijgen. Dan wordt er weleens verzucht: 'Wat heb ik ze allemaal aangedaan?' Je snapt de angst voor verlies, de wil om te sturen, te boetseren, te adviseren, te waarschuwen voor de vele gevaren, voor de dood die altijd op de loer ligt. Dat is allemaal te verklaren door de gezonde biologische drang om je eigen geslacht in leven te houden. Mensen gaan daar soms heel ver in, zonder dat ze het weten of willen. Misschien doet u dat ook, beste lezer, uw kinderen inpakken in een beschermend matras zodat hen niks kan overkomen. Het nadeel is dat het matras ook hun zicht beperkt. Ze kunnen bijna geen fouten meer maken omdat er altijd iemand is die hen daarvoor behoedt. Dit zijn dezelfde ouders die alle stappen van hun kinderen na willen gaan op het internet, die woedend zijn als hun kind weigert hen als vriend of volger te accepteren, die hun kind geen eigen leven of wereld lijken te gunnen, die als een waakzame god, een alziend oog, de bewegingen van hun lendevrucht willen volgen en sturen.

Tegenover deze zachte terreur staat de ijzeren vuist van mensen die hun kinderen als een verlengstuk van zichzelf zien, een extra, vaak onhandige ledemaat die zich niet lijkt te willen onderwerpen aan de wil van het hoofdlichaam en daarom steeds weer gestraft en gebogen moet worden totdat het in het gareel gaat lopen, of totdat het noodgedwongen geamputeerd moet worden.

Wat ik eigenlijk wil zeggen met deze manke metafoor, beste lezer, is dat we onze kinderen vooral moeten beschermen tegen onszelf. Voor u het weet zitten ze vol met uw vooroordelen, angsten, trauma's en ellende. Die zijn namelijk veel makkelijker over te dragen dan de minder onverkwikkelijke eigenschappen. Is het u wel eens opgevallen hoe moeilijk het is om geluk over te dragen aan anderen? Verdriet daarentegen is een zeer besmettelijk virus. Dat heb je zo te pakken. Daarom heb ik mezelf als vader in quarantaine geplaatst. Als u echt van uw kinderen houdt wilt u toch niet dat ze naast u in de leprakolonie komen wonen?

[...]

Beste Ben en Gerda,

Ik mag geen vergiffenis verwachten maar ik hoop op jullie begrip. Ik ben uit een diep en donker dal gekropen. Ik was de weg kwijt. Eigenlijk weet ik niet meer zo goed waar ik ben geweest en wat ik heb gedaan nadat ik jullie van jullie dochter en kleinkinderen heb beroofd. Ik had deze brief al veel langer geleden moeten schrijven maar ik durfde niet en ik kon niet. Ik heb ontzettend veel gedronken, ben op straat beland en wou er heel vaak

een eind aan maken. Maar ook dat durfde ik niet. Anderen heb-
ben geprobeerd om mij een handje te helpen, maar ook hen is
het niet gelukt. Ik ben nu al een tijdje nuchter omdat ik in de ge-
vangenis zit. Misschien hebben jullie al gehoord of gelezen dat
ik in mijn dronkenschap iets heel doms en vreselijks heb gedaan.
Ik was verward en heb een kindje meegenomen. Ik heb begrepen
dat zij inmiddels gelukkig en gezond terug is bezorgd bij haar
ouders. Maar ik zit hier met de gebakken peren. En misschien is
dat maar goed ook, anders had ik deze brief nooit geschreven.

Mocht ik ooit nog vrijkomen dan weet ik niet hoe het mij
zal vergaan. Ik vrees dat ik door al deze ellende wel weer aan de
drank zal raken. Daarom maak ik nu van deze gelegenheid ge-
bruik om jullie dit te schrijven. Ik ben geen slecht mens en het is
nooit mijn bedoeling geweest om jullie te beroven van jullie lie-
ve dochter Chantal en de kleine Cas en Bianca. Maar ik moet be-
kennen dat ik had gedronken die avond toen ik achter het stuur
kroop. Wat er daarna is gebeurd weet ik niet precies. Er is mij ver-
teld dat ik op de kade zat te janken in mijn natte kleren. Ik hoop
dat ik mijn best heb gedaan om hen te redden en er gaat geen
dag voorbij dat ik niet wens dat ik met hen was verdronken. Het
is die gedachte die mij steeds naar de fles doet grijpen.

Nogmaals, ik verwacht geen vergiffenis en ook geen ant-
woord. Ik vond alleen dat ik deze brief moest schrijven, in de
hoop dat hij jullie zal helpen met het verwerken van jullie ver-
driet. Ik heb me voorgenomen om de herinnering aan ons aller
geliefden te eren door dit lijden, deze straf, te dragen totdat de
Lieve Heer besluit dat ik weer bij hen mag zijn. Ik hoop dat het
gaat lukken.

Ik wens jullie sterkte en veel liefs,

Kees

PS: Een vriend die goed kan schrijven heeft me met deze brief ge-holpen.

[...]

'Hij is prachtig, Deo, dankjewel,' zegt Stinkie. Zijn ogen glinsteren.

'Wil je dat laatste er echt in? Het leidt een beetje af van het verhaal.'

'Vind je?'

'Ja.'

'Maar ik moet toch zeggen dat jij hem hebt geschreven. Want er staan dingen in die ik niet zo snel zou zeggen.'

'Zoals?'

'Vergiffenis.'

'Zal ik daar iets anders van maken? "Ik verwacht niet dat jullie mij vergeven." Dan is het wat meer een daad dan een ding.'

'Wauw. Nog beter! Mooi man. Maar er zijn ook nog andere dingen. Ik weet niet hoe ik het moet zeggen. Het loopt gewoon, snap je? Zo kan ik niet schrijven.'

'Dat is aardig van je, maar ...'

We worden onderbroken door Num. 'Zo, Stinkerdje, wat heb je daar? Laat eens lezen.' Hij grijpt de brief en begint meteen hardop te lezen.

De kettingreactie die daarop volgt is vooral angstaanjagend doordat het uit een serie lichaamsreflexen lijkt te bestaan die zich binnen enkele seconden voltrekt. Er is een explosie van meubilair als Stinkie en ik tegelijkertijd opspringen en naar de brief grijpen in Nums hand. Hij springt achteruit en dondert over een tafel heen. Een seconde later springt Shark aan de andere kant van de groep uit zijn stoel. Hij is al onderweg naar ons toe als Bobby hem, nog een seconde later, van achter tegen de grond werkt. Ik heb Nums armen vast. Stinkie geeft hem drie, vier klappen in zijn smoel. Ik zit alweer aan tafel, handen voor me op het blad, als Henk en Claudio zich bovenop Stinkie en Num werpen. 'Rust! Rust! Liggen nu! Handen op je rug! Anders krijg je een stoot!' roept Henk dreigend met zijn stroomstok. Een seconde later liggen Stinkie en Num naast elkaar op hun buik met Claudio erboven, stroomstok in zijn hand. 'Jullie! Zitten!' roept Claudio. Dan pas zie ik dat alle andere mannen op de groep klaar staan om te vluchten of te vechten. Ze gaan allemaal zitten. Ondertussen is Henk al bij Bobby en Shark. Samen houden ze Shark in bedwang. Even later komen de echte bullen binnen. De mannen in uniform die nooit praten, die alleen tevoorschijn komen als het moet, alsof het vechtrobots zijn die in een speciale oplader zitten, een cabine waar ze wachten totdat iemand op de knop drukt. Shark spuugt machteloos, wordt vloekend en spartelend afgevoerd. 'Blijf met je fokking poten van hem af!'

'Rustig, jongen, rustig,' zegt Henk. 'We doen hem niets. Kijk maar.'

'Liggen, Num, blijf liggen!' roept Shark.

'Ja ja, is goed, is goed,' zegt Num en legt zijn wang weer tegen de gladde vloer. Dan ziet hij de achterkant van Stinkies hoofd, de vette slierten haar, en kan de verleiding niet weerstaan. Hij rochelt diep en spuugt. Zijn lichaam springt in een strakke boog een halve meter van de grond als Claudio hem een stroomstoot geeft op zijn linkerbil. Heel even zie ik de brief liggen. Num laat alles lopen. De stank is niet te harden.

'Godver-de-kut-kut-kut!' roept Shark vanaf de gang.

'Jezus, idioot! Moet je kijken!? Waarom doe je dat nou?' zegt Bobby. Ik heb hem nog nooit boos gezien.

'Wat de fok?! Moet ik dat toestaan dan? Wat wil je nou? Ik heb hem goddomme gewaarschuwd! Denk je dat ik... ach man, flikker toch op met je gelul,' roept de adrenaline in Claudio.

'Oké, rustig, rustig, al goed, al goed,' zegt Bobby. 'Ik ga handschoenen halen.'

'Jezus, wat een stank.' Henk is inmiddels terug.

'Ga jij nu ook al beginnen?' vraagt Claudio. 'Neem hem liever mee.'

'Blijf je rustig, Kees?' vraagt Henk. 'Geen gekkigheid. Gewoon rustig naar je kamer, oké?'

'Ik blijf rustig,' zegt Stinkie. 'Heb jij de brief, Deo?'

'Hij ligt onder Num. Ik pak hem zo wel.'

'Bedankt man, nogmaals. En sorry hiervoor,' zegt hij en loopt met Henk richting zijn kamer. Twee druppels bloed vallen van zijn gescheurde knokkels.

'Jij blijft zitten, ja?' zegt Claudio dreigend tegen mij.

'Ik zit gewoon te zitten,' antwoord ik rustig.

[...]

'Jezus man, wat ging dat snel.'

Henk staat nog strak van de adrenaline. Bobby en Claudio ook. Ze lopen voor ons uit met Num tussen hen in. Hij is nog groggy van de stroomstoot. Zijn knieën knakken spastisch terwijl hij al breakdancend de gang af strompelt.

'Sorry man, maar jij moet ook naar jouw kamer,' zegt Bobby tegen mij. 'Is beleid.'

'Ik begrijp het,' zeg ik.

'Wat gebeurde er nou precies?' zegt Claudio.

'Fohhhhhhk...' kermt Num.

'Kom op jongen, jij gaat lekker onder de douche,' zegt Bobby.

'Ik hoor het zo wel,' zegt Claudio.

[...]

'Nou?' vraagt Henk als we samen in mijn cel staan. Hij doet de deur dicht. Ik ga zitten op het bed. Hij staat voor me als een karateka die op het *hajime* wacht. Klaar om toe te slaan. 'Ik zag heus wel dat je Num vasthield. Shark ook.'

Ik zou de wreef van mijn linkervoet nu zonder probleem heel hard tussen Henks kloten kunnen planten. Ik voel hoe verschillende delen van mijn hersenen bijna hoorbaar worden uitgeschakeld. Eerst mijn medeleven, dan mijn intellect, vervolgens mijn geheugen en als laatste mijn vooruitziendheid. Alleen het hier en nu blijft over en de keuze: wel of niet? Mijn hart pompt alleen nog voor de grote spieren in mijn armen, schouders, rug en benen. Het centrale zenuwstelsel doet waar het voor ontworpen is: het lichaam paraat maken om te overleven, om te vechten, om te doden als het moet. Druk maar op het knopje.

'Ga je nog wat zeggen?' vraagt Henk.

Ik staar hem aan en Henk herkent die blik. Hij heeft hem weleens in de spiegel gezien als hij thuis ruzie had, maar ook in de ogen van zovelen die hier op kamers zaten.

'Je weet dat Num Sjaaks zoon is?' zegt Henk.

Dat wist ik niet.

'Dat wil Num niet weten, maar Shark weet het wel.'

Ik kan me goed voorstellen dat Num dat niet wil weten.

'Dit soort gedrag pik ik niet op mijn afdeling, begrepen?'

Ook dat begrijp ik heel goed. Als Henk een stoel pakt en gaat zitten, voel ik hoe de hersengroepen één voor één weer in werking treden. Henk ziet het ook. Hij legt zijn hoofd in zijn handen, ellebogen op zijn knieën.

'Christus, wat een gedoe. Ik zit mijn hele leven al op karate, heb gevochten tegen mannen die twee koppen groter waren, maar hier zal ik nooit aan wennen. Ken je dat?'

'Dat ken ik,' antwoord ik.

'O, dus je kunt wel praten?' zegt Henk.

'En nu?' vraag ik.

'En nu gaan de dames aan het werk, de diplomaten. En Eugène natuurlijk. Die tel ik ook mee.' Hij lacht om zijn eigen flauwe grap.

'Ik blijf wel op mijn kamer.'

'Dat hoeft niet. Is ook niet in jouw voordeel, snap je?' zegt Henk.

'Duidelijk.'

'Kom morgen maar weer tevoorschijn. Ik zorg voor eten, goed?'

'Prima.'

[...]

Ik rij op mijn skateboard over de steile slingerweg in Glenvista, waar we vroeger onze schrammen gingen halen. Al draaiend probeer ik vaart te minderen. Als ik te hard ga vlieg ik uit de bocht. Ik merk ineens dat er een baby naast me rent op handen en voeten, als een naakt, onbehaard aapje. Het ziet er luguber uit – de zachte, kwetsbare babyvorm die zo dierlijk en behendig beweegt. Hij houdt me makkelijk bij. Ik versnel maar merk dat er steeds meer baby's uit de bosjes tevoorschijn komen. Hun huidskleur varieert van het allerlichtste albino tot het allerdonkerste ebbenhout. Geruisloos rennen ze naast en achter me op hun zachte voetzooltjes en handpalmpjes, totdat een van hen bloedstollend begint te krijsen en ze de aanval inzetten.

[...]

Er wordt op de deur geklopt. De sleutel knarst in het slot als ik 'binnen' roep. Bobby houdt de deur voor Milly open. Ik ruik gebraden kip. Ze groeten beiden en Milly zet het dienblad op tafel neer. Ik zet de tv uit.

'Laat maar aan hoor,' zegt Milly.

'Bent u geschrokken?' vraagt Bobby.

'Ik ben wel wat gewend.'

'Ik heb van Kees begrepen dat u hem heeft geholpen,' zegt Milly.

'Met zijn brief, ja.'

'En met Vincent,' lacht Bobby.

'Vincent?'

'Beter bekend als Num,' zegt Bobby.

Ik hoor nerveus piepende gympen op de gang.

'Kom maar even binnen kijken, Cor,' zegt Milly. 'Er is niks met hem aan de hand.'

Cor steekt zijn hoofd snel om de hoek, als een kind dat verstoppertje speelt. 'Ik stierf duizend doden, Deo, duizend doden! En ik durfde niet. Ik durfde niet. Ik durfde niet!'

'Rustig aan, Cor,' zegt Bobby. 'Dat geeft niet.'

'Het geeft wel, Bobby! Wel! Ik moest hem beschermen en ik deed niets! Niets! Niets! Ik ben zwak! Een zwakke-ling!'

'Er is niks met mij aan de hand, Cor,' zeg ik. 'Je hebt het prima gedaan.'

'Niet! Het was helemaal niet prima, Deo. Helemaal...'

'Cornelius?' zegt Milly rustig. 'Wilt u wat te drinken halen voor meneer De Heer?'

'Jazeker, jazeker wil ik dat!'

'Een glas water alsjeblieft, Cor,' zeg ik.

'Komt eraan, komt eraan, met prik!' Hij piept als een vluchtend kuiken over de gang.

'Hij aanbidt u,' lacht Milly.

'Liever niet,' zeg ik.

'Vader en zoon blijven een paar dagen op hun kamers,' zegt Milly. 'Dan hebben we even rust op de afdeling.'

'Dat zou fijn zijn.'

'Ik ga nu afnokken, meneer De Heer,' zegt Bobby. 'Ik wens u een rustige nacht toe. Milly doet straks de deur op slot en morgenochtend gaat hij weer open. Haastige spoed, Cor...'

'Zelden goed, zelden goed. Ik weet het,' zegt Cor tussen de piepen door.

Bobby overhandigt het halve glas water aan mij. 'Bedankt, Cornelius. Pak je even een doekje voor die plassen, anders ligt hier straks weer iemand op zijn rug.'

Cor piept weer weg.

'Ik ga. Goedenavond,' zegt Bobby en zet de deur op een kier.

'Lekker?' vraagt Milly.

'Heerlijk,' zeg ik.

'U heeft heel goed leren liegen,' lacht Milly.

'Daar verdien ik mijn geld mee.'

'Journalisten zoeken toch de waarheid?' zegt Milly.

'Een waarheid. Ze zoeken een waarheid.'

'Leg eens uit,' zegt Milly.

'Is het een leugen als je iets niet vertelt wat je zou moeten vertellen?'

'Misschien.'

'Er is een hele hoop wat journalisten niet vertellen.'

'Noemt u dat liegen?'

'Ze vertellen niet de hele waarheid.'

'Wilt u nog praten over vanmiddag?' (Mooi sprongetje.)

'Er valt niet zo veel over te zeggen.'

'Het was heel aardig wat u voor Kees heeft gedaan. De brief.'

'Ja? Komt het in mijn verslag te staan?'

Ze lacht. 'Natuurlijk.'

[...]

Zal ik het allemaal nog even voor u duiden, beste lezer? U denkt waarschijnlijk dat het allemaal heel simpel in elkaar zit: de stoute onvoorspelbare jongens zitten binnen en de lieve voorspelbare mensjes zitten buiten. Maar eigenlijk zijn wij heel voorspelbaar. Vooral voor elkaar natuurlijk. Er wordt bijvoorbeeld veel gepingpongd. Niemand noemt het tafeltennis hier omdat daar een zweem van competitie aan kleeft, en niemand wil hier winnen op het instituut, want dat zou betekenen dat iemand anders verliest. En dat willen we helemaal niet, want we weten allemaal hoe vervelend dat zou kunnen zijn voor de verliezer en wat voor gevolgen dat zou kunnen hebben voor

degene die heeft gewonnen. Heel soms zijn er idioten –
bijna altijd nieuwkomers – die dit niet goed doorhebben
en de bal heel hard terugsmashen en dan juichen omdat
ze gescoord denken te hebben. Maar niets is minder waar,
want die domme mannen moeten vervolgens het overgrote deel van hun verblijf kijken naar pingpong. En u
mag van mij aannemen dat er maar een ding erger is dan
pingpong spelen. Juist, u raadt het al.

Vanmiddag ging het mis omdat ik een brief voor Stinkie had geschreven. Num vond dat vervelend omdat hij
geen brief had gekregen. Dus hij pakte de brief van Stinkie af. Logisch toch? Alle kinderen moeten een snoepje
krijgen. En als er maar één snoepje is, nou, dan moet dat
maar vermorzeld worden zodat niemand een snoepje
krijgt. Dat is toch veel eerlijker dan die ongelijkheid waar
jullie zogenaamde voorspelbaren zo mee lopen te stoeien.
Jullie vinden het prima als één persoon alles heeft en een
ander niets. Als jullie maar vriendjes zijn met degene die
alles heeft en niet met degene die niets heeft.

Er is hier dus een hoop onderling begrip. De mannen
weten wat de regels zijn als we onder elkaar zijn. Ze weten dat de hond aan de overkant van het hek even vals zou
kunnen zijn als zij. Geen van beide wil erachter komen
wat er zou gebeuren als het hek wordt weggehaald. Dus ze
blaffen om de beurt – het pingen en pongen, het gewoef
en gewaf – totdat het gaat vervelen en ze lekker in de zon
gaan liggen slapen.

Er is een pikorde, natuurlijk, maar we weten ook allemaal dat de zwakste net zo goed in staat is om de sterkste
uit te schakelen. Het is gewoon een kwestie van geduld.
Even afwachten totdat de sterkste niet op zijn hoede is
en dan snel en dodelijk toeslaan. Dus er wordt een hoop

geblaft en gegromd, maar er is ook onderling respect dat voortkomt uit de gedeelde kennis dat je niet met een stok moet gaan zitten poeren, zelfs niet bij de zwakste hond. En als het dan toch zover is, dan moet je genadeloos doorgaan, tot de dood, anders loop je de rest van je leven over je schouder te kijken. Het zijn de allersimpelste, dierlijke wetten.

Laat ik het anders voor u formuleren. Zou u het bijvoorbeeld niet heerlijk vinden om uw leiders, de politici, af en toe een klap voor hun muil te geven of een kogel door hun kop te jagen als ze weer eens iets stoms of oneerlijks hebben gedaan? Als dat kon zou de wereld er heel anders uitzien. Vroeger, toen de groepen kleiner waren en de leiders voor iedereen toegankelijk, kon je nog als onderdaan orde op zaken stellen. Maar dat hebben de politici netjes opgelost door de verantwoordelijkheid te delen. Met hun partij, met hun coalitiepartners, met hun ambtenarenapparaat, die eigenlijk allemaal in stelling zijn gebracht zodat de baas heel makkelijk kan zeggen: 'Hij heeft het gedaan. Geef hem die klap maar.'

Daarna zijn ze nog een stapje verder gegaan, de mannen die aan de touwtjes trekken. Ze hebben dikke boeken vol wetten en regels laten optekenen, die worden gehandhaafd door mannen die genoegen nemen met wat geld en een uniform, die genadeloos toeslaan als ze daar opdracht toe krijgen, die zorgen dat zoveel mogelijk afwijkende en onvoorspelbare elementen uit de samenleving worden verwijderd. Maar de beste truc die de poppenspelers ooit hebben verzonnen is dat ze jullie hebben weten te overtuigen dat jullie zelf de touwtjes in handen hebben, dat jullie controle hebben over hun doen en laten, dat de wetten en de regels zijn verzonnen om jullie te beschermen, om te zorgen dat het recht zegeviert. En daarom walgen de mannen hier zo van jullie. Jullie slikken alles voor zoete koek. De waarheid is dat de regels er zijn om jullie te ketenen, te knechten, te onderwerpen aan de wil van jullie rijksten en machtigsten, door jullie steeds maar weer te wijzen op de mogelijke represailles, door jullie kritiekloze volgers en consumenten te maken die knikkend zitten te wachten op de wijze woorden van jullie leiders, die ook weer worden gestuurd door een onzichtbare hand. En als er wordt geroepen 'daar is de vijand!' dan grijpen jullie gretig naar de wapens, die ze gekocht hebben met jullie geld, en rennen erop af. Ooit las ik ergens een stuk graffitti op een celmuur: 'Gehoorzame mannen hebben het bloed van miljoenen mensen aan hun handen kleven.'

Daar hebben wij, ontoerekeningsvatbaren, geen last van: gehoorzaamheid. Wij erkennen geen enkele autoriteit behalve die van onszelf. Wij hoeven onze goede wil niet te tonen, hoeven ons niet te onderwerpen aan allerlei regels, hoeven niet ons beste beentje voor te zetten. Maar dat mag niet van de poppenspelers, want straks denkt iedereen dat ze zonder touwtjes mogen leven. Dus ze nemen ons gevangen en zetten ons samen op een eiland, ver weg van de bewoonde wereld, waar we jullie niet kunnen besmetten met onze vrije geesten, waar we elkaar van kant kunnen maken omdat wij niet gewend zijn om zo dicht op elkaar te leven, als solitaire roofdieren, luipaarden, die samen in een kooi worden gezet om te bevestigen hoe wreed en onbeschaafd we wel niet zijn.

Volgt u het nog een beetje? Nee? Dat komt omdat u de waarheid niet onder ogen durft te zien. U bent bezoedeld, gehersenspoeld. Overal wordt er aan uw touwtjes getrokken: binnen de lijntjes kleuren, koop dit, koop dat, kijk zus, doe zo, woon hier, haat hen, vind dit mooi, kies mij, geef geld, eer mij en u krijgt het eeuwige leven. U kiest ervoor om blind te blijven. En dan noemt u ons gek.

[...]

EH: Ik heb begrepen dat u was betrokken bij een opstootje.

Deo: Een opstootje?

EH: Een gevecht.

Deo: Ik weet wat een opstootje is, Eugène, het verbaast me alleen dat je die term gebruikt.

EH: Hoezo?

Deo: De beer is los, Eugène. De boze geest is uit de fles en je kunt proppen wat je wilt, maar je krijgt hem er niet meer in.

EH: We hebben al met Sjaak en Vincent gesproken en ik kreeg sterk de indruk dat ze hun eigen positie liever niet in gevaar wilden brengen.

Deo: En daar moet ik het mee doen?

EH: Ik vrees van wel. Maar we doen er écht alles aan om uw veiligheid en die van de anderen te waarborgen. U zou daar zelf ook een bijdrage aan kunnen leveren...

Deo: Krijg ik een uzi?

EH: (Lacht) Nee, dat niet. Het team is er wel over eens dat u een soort onrust lijkt te zaaien onder de mannen. Onbewust of ongewild, natuurlijk.

Deo: Daar had ik je al voor gewaarschuwd, Eugène.

EH: Waarvoor? Bedoelt u...

Deo: Ja, dat het noodlot me altijd op de hielen zit.

EH: Wij vermoeden dat het eerder komt doordat uw gesprekken met hen iets dieper gaan dan de koetjes en kalfjes die de mannen gewend zijn.

Deo: Daar kan ik niet zo veel aan doen, toch? Ik stel een vraag en krijg een antwoord en stel een vraag, enzovoort.

EH: Precies. En ik hoop dat u dat zult blijven doen. Meerdere heren hebben al aangegeven dat u ze heeft geholpen om een beter beeld van zichzelf te krijgen, dat u richting heeft gegeven aan hun leven.

Deo: Jezus, ik mag hopen van niet.

EH: Toch is het echt zo. Ik vind het alleen heel jammer dat u uw verhalen daarover niet meer met mij deelt. Uw schrijfsels gaven ons bijkomend inzicht in de zielenroerselen, het gedrag, het verleden en, misschien nog het allerbelangrijkst, de mogelijke toekomst van uw mede-observandi.

Deo: Ik heb het al eerder gezegd, Eugène: die gesprekken gaan niemand wat aan.

EH: Daar heeft u natuurlijk volledig gelijk in, maar het zou uw zaak ten goede komen als u af en toe uw gesprekken zou...

Deo: Hoor ik het goed, Eugène? Wil je me inzetten als verklikker, als spion? Een verlengstuk van het observatieteam? Ik ben verbijsterd.

EH: Nee nee, zo bedoel ik het helemaal niet.

Deo: Verwachten jullie echt dat ik bekentenissen uit die arme sukkels ga zitten peuteren?

EH: Die zouden niet rechtsgeldig zijn.

Deo: Maar het zou wel heel handig zijn om te weten waar jullie moeten beginnen, in welke richting jullie moeten zoeken.

EH: Nee nee, dit is absoluut niet de bedoeling.

Deo: Maar jullie hebben het er wel over gehad. Ik zie het aan je gezicht.

EH: Nee... nou ja, er werd in eerste instantie een grapje over gemaakt.

Deo: 'Die De Heer is een wandelend opnameapparaat. Kunnen we hem niet inzetten om de rechtsgang wat te bespoedigen?' Zoiets?

EH: U zoekt er te veel achter. Echt waar...

Deo: Echt waar, Eugène? Echt waar? Dat is het stopwoordje van leugenaars.

EH: Ik verzeker je, Remco, het ligt...

Deo: Gaan we nu ook ineens tutoyeren? Hoor ik nu ineens bij het team?

EH: Ik wil het graag aan u uitleggen. Mag dat?

Deo: Ga je gang.

EH: Ik was er zelf op tegen, het idee, omdat ik vind dat je het niet van een observandus kunt verlangen dat hij informatie verschaft over anderen. En omdat ik mijn relatie met u niet wilde verstoren. Maar ik ben onderdeel van een team dat een breder doel nastreeft...

Deo: *Democracy strikes again.*

EH: Hoe bedoelt u?

Deo: Er is gestemd en jij bent de lul.

EH: Nou, zo zou ik het niet willen zien.

Deo: Dus je bent het ermee eens?

EH: Ik zou het zonde vinden als dit mijn relatie met u verstoort.

Deo: Dat valt toch wel mee? Ik neem het je niet kwalijk.

EH: Nou, dat was nog niet alles.

Deo: Vertel.

EH: Ik mag mijn verslagen niet meer met u delen.

Deo: Wat kinderachtig.

EH: U mag alleen nog ons eindverslag inzien.

Deo: Dit is gewoon een pressiemiddel, toch?

EH: Ik begrijp dat u het zo ziet...

Deo: Hoe zie jij het dan, Eugène?

EH: Het is niet in het belang van het onderzoek...

Deo: Bla, bla, bla. Ik ben er klaar mee. Hebben jullie mijn kamer doorzocht?

EH: Ik vind dit heel jammer...

Deo: Hebben jullie mijn kamer doorzocht, Eugène?

EH: Dat gebeurt routinematig, maar ik wou u ook nog wat vertellen over uw broer...

Deo: Krijg de tyfus, Eugène. Henk!

[...]

Ik weet niet welke debiel het heeft verzonnen, waarschijnlijk een of andere Griek die te diep in de amfora had gekeken, maar de pen is niet machtiger dan het zwaard. Hooguit op langere termijn. En dan echt alleen als je geschiedschrijver mag zijn. Dat wil zeggen: als jouw verdraaiing van de werkelijkheid wordt verheven tot 'feiten' die weer door de strotten van een nieuwe generatie worden geramd. Want op de korte termijn leggen wij schrijvers het altijd af. We zijn zachtmoedig en slecht voorbereid op de harde werkelijkheid van de strijd die zo vaak vorm geeft aan de beschaving waar wij aan denken bij te dragen. Wij worden meestal als eersten opgepakt en uitgemoord. Dan zijn ze van dat gezeik af, de sterke jongens die het overal voor het zeggen hebben. Wat zij jammer genoeg niet door hebben, de sterke jongens, is dat het u allemaal geen ruk kan schelen, beste lezer. U neemt het op ruime afstand – qua geografie en/of tijdsbestek – voor kennisgeving aan en schudt hooguit uw hoofd in afgrijzen. Soms maakt u wat centjes over naar het goede doel of u ondertekent zo'n fijne petitie die in het allerbeste geval onmachtige politici dwingt om de wol weer iets verder over uw ogen te trekken. Maar verder doet u helemaal niks.

Bij de sterke jongens ligt dat anders. Omdat ze bijna zonder uitzondering zo paranoïde zijn als een varken in een slachthuis, gaan ze er gemakshalve van uit dat ieder stukje informatie – ongeacht of het geschreven, gefotografeerd, verfilmd of opgenomen is – schadelijk voor hen zou kunnen zijn. Het zou in handen van de 'vijand' terecht kunnen komen, die het weer tegen hen zou kunnen gebruiken. En dat willen de sterke jongens natuurlijk niet.

Je zou denken dat de slimme mensen hier op het instituut dat inmiddels door hebben na al die jaren en al die gekken die hier hebben gezeten. Maar niks is minder waar. Ze begrijpen niet dat het hier stikt van de paranoide sterke mannen die het helemaal niet fijn vinden als er informatie over hen wordt verzameld of gedeeld. De slimme mensen hier willen zo graag communiceren, begrijpen, analyseren, ontleden, en ze gaan ervan uit dat de sterke mannen dat ook willen, dat de sterke mannen ook hun eitje kwijt willen. Dat komt natuurlijk omdat de mannen het spelletje meespelen, maar hun redenen daarvoor zijn eerder pragmatisch dan psychologisch. Ik spel het nogmaals voor u uit: de mannen willen zo kort mogelijk zitten en iedereen ervan overtuigen dat ze gezond genoeg zijn om als volwaardige burgers een rentree te maken in de samenleving. Maar is dat waar? Kunnen ze dat? Kan ik dat? Kan ik u garanderen dat mijn stoppen niet nogmaals zullen doorslaan? Dat ik niet amok zal maken in een bioscoop omdat een of andere idioot in het donker zit te praten of te lachen bij de hartverscheurende beelden van een wereld waar ik me volstrekt mee identificeer? Dat ik niet uw volgevreten kind een schop onder zijn hol zal verkopen omdat hij loopt te zeiken in de supermarkt? Dat ik niet op een goede dag bij u aanbel om persoonlijk vast te stellen of u kennis heeft genomen van mijn wijze lessen?

[...]

Er wordt op de deur geklopt. Het is Draadbek. Hij vraagt of hij mag gaan zitten en wijst met zijn achterhoofd en ogen naar de deur, die op een kier staat met Henk ernaast.

'Gaat-ie?' vraagt Draadbek.

'Prima. Met jou?'

'Goed, goed. Ik heb een slof sigaretten, die op moet. Zullen we?'

'Naar buiten?'

'Ja. Shark en Num zitten op hun kamers.'

'Nog steeds?'

'Ja.'

'Ik pak even mijn papieren.'

'Ik vertrek overmorgen,' zegt Draadbek.

'Jammer. Verslag al gehad?'

'Morgen. Enigszins verminderd toerekeningsvatbaar, zegt Eugène.'

'Dat houdt in?'

'Twee jaar, de helft voorwaardelijk. Met aftrek van

voorarrest en van deze grap. Dan blijft er nog maar een halfjaartje over.'

'Mooi toch?'

'Je kiest je woorden slecht voor een schrijver,' snuift hij.

Ik lach. 'Mogen we even, Henk?' vraag ik.

'Ja. Kom maar mee,' antwoordt hij.

Het is stil op de groep. Alle diertjes hebben zich in hun holletjes teruggetrokken, behalve Tweety die met zijn vinger de bewegingen van de vissen in het aquarium volgt. 'Is iedereen buiten?' vraag ik.

'Het is lekker weer,' zegt Henk.

[...]

Zodra ik buiten sta voel ik het meteen. Iedereen weet het. Ik zie het aan hun blikken en de haastige onderonsjes als we rokend ons rondje maken. Draadbek bevestigt mijn vermoedens: 'We horen verhalen over jou.'

'Ja?'

'Dat je jouw pennenvruchten met het team deelt. Klopt dat?'

'Ja. Ten dele.'

'Shark maakt zich zorgen.'

'Heb je hem gesproken dan?'

'Ik mocht net even bij hem op de kamer. Hij weet dat Num een paar keer met jou heeft gesproken.'

'Ja. En?'

'Hij wil je waarschuwen,' zegt Draadbek.

'Bedreigen bedoel je.'

'Vul zelf maar in, maar hij zei dat het ernstige gevolgen zou kunnen hebben als je dingen gaat doorvertellen.'

'Waar baseert hij dit allemaal op?'

'Iemand hoorde Henk en Bobby praten na jouw laatste gesprek met Eugène.'

'Heeft die iemand ook verteld dat ik juist weigerde om dingen met hen te delen?' vraag ik.

'De waarheid is totaal onbelangrijk, Deo, dat zou je inmiddels moeten weten.'

Een van de Magneetjes, die net met Lipstick stond te smoezen, maakt zich los van het groepje en loopt met ons mee. 'Loop door, loop door, Draadbek,' beveelt hij. 'Ik wil even met deze bakra praten.'

Draadbek zwaait af.

'Ik weet niks over jou,' zeg ik.

'Wat nou? Wat nou?' zegt hij geïrriteerd.

'Je komt toch vragen wat ik verteld heb? Maar ik ken jou niet, dus ik weet niks over jou.'

'Jij denkt dat ik dom ben, fokking Zuid-Afrikaan?'

Ik stop, voel het gladde staal van de vork in mijn vuist. Hij draait om, begint terug te komen. Ik weet al precies wat ik ga doen: met rechts uithalen en dan onverwachts met een backhand de vork in zijn wang planten. Daarna wordt het improviseren. Maar het hoeft niet. Henk en Claudio komen al aangelopen. Onze lichaamstaal schreeuwt om ingrijpen.

'Zo, heren, gezellig aan de wandel?' vraagt Claudio. 'Jullie kennen elkaar nog niet, geloof ik. Vernon, dit is Remco. Remco, Vernon. Geen handje, heren?'

'Fokking racist.' Vernon spuugt voor me op de grond.

'Da's niet zo aardig, Vernon,' zegt Henk.

'Fokking bakra's bij elkaar. Ga lekker je moeder naaien,' zegt Vernon.

'Wat zegt u?' vraagt Henk.

'Aaien,' zegt Vernon en loopt richting zijn groepje.

'U heeft mazzel, meneer De Heer,' zegt Claudio tegen mij.

'Vind je?' zeg ik.

'U wilt niet weten wat die jongens allemaal op hun kerfstok hebben,' zegt Claudio.

'Het ziet er allemaal heel relaxed uit van buiten, maar ondertussen,' zegt Henk.

Ik hoor de rest niet omdat ik over hun schouders Ibrahim zie staan naast een van de nieuwkomers, die voor het gemak De Imam wordt genoemd. Hij draagt de klassieke djellaba en kaakbaard van een vrome moslim en het heeft er alle schijn van dat Ibrahim bij hem in de leer is. Ze staren me met z'n tweeën aan. Ibrahim maakt een snijdende beweging langs zijn keel, die halverwege wordt onderbroken door De Imam. Ik ben niet de enige die het heeft gezien. Even verderop staat Cornelius lichtjes heen en weer te wiegen op zijn benen, als een cobra die op het juiste moment wacht om toe te slaan.

[...]

Wie schrijft die blijft... over zijn schouder kijken. Dat laatste stukkie, dat schorpioenenstaartje, is er ooit afgeknipt. Waarschijnlijk door een schrijver. Ik heb dit vaker meegemaakt, beste lezer, de brutale en verholen bedreigingen van mensen met diepe littekens op hun kerfstok. De gefluisterde waarschuwing; STERF met de natte vinger geschreven in het stof; de kogel onder in mijn bierglas; mensen die verdwenen zoals voorspeld. Maar uit die helse oorden kon ik vertrekken. Hier zit ik vast. Althans, voorlopig.

Draadbek heeft gelijk: de waarheid is totaal onbelangrijk. Het gaat er vooral om wat mensen geloven of willen
geloven. Daarop baseren zij hun doen en laten. Vooral het
eerste is bij de mannen hier in zwang. Ze moeten doen en
vooral niks laten. Psychopathie is de tegenhanger van apa-
thie. Ik kan erover meepraten. Mijn gevoelens zijn eerder
brandstof voor mijn spieren dan voor mijn geest. Stilzitten is een kwelling, het schrijven een noodzakelijk kwaad,
een afleiding. Er moet actie ondernomen worden. Actie,
niet reactie. Het initiatief moet bereden worden als een
gewillig paard. Actie heeft een helende werking. Afwachten, dat is pas eng. De vijf messteken die ik ooit in mijn
armen en benen opliep waren minder angstaanjagend
dan de seconden die eraan voorafgingen, toen ik besefte
dat ik achtervolgd werd. Maar nu ben ik omringd door cobra's, die dreigend wiegen of mij aanbidden als hun god of
mij uitverkoren hebben als het offerlam dat moet sterven
voor hun zonden. Telkens ben ik de dans ontsprongen
door het noodlot een stap voor te blijven. Pechvogels zoals
ik lijken het eeuwige leven te hebben, maar in mijn dromen zie ik het einde steeds weer naderen in nieuwe ge-
daantes, die mij achtervolgen maar net niet de genadeslag
toebrengen – de guillotine blijft hangen, de kogel ketst af,
de auto remt, ik val tussen de scherpe rotsen in een diepe rivier. Maar dat zijn dromen. Alleen de dood doet ons
ontwaken uit het leven. Wie zal mij doden, Opa Wim, wie
zal mij doden? Toch nog een interessante vraag. Maar u
zult nog even geduld moeten hebben, beste lezer, want ik
moet eerst nog een en ander aan u kwijt.

[...]

Welverdiend

Mijn naam is Johan J. Brits. Zeg maar Jay-Jay. Op z'n Engels. Ik was politieman. Vroeger. Voordat ons mooie land
naar zijn befokte moer ging. Voordat de zwarten aan de
macht kwamen. Voordat ik werd ontslagen en vervolgd.
Ik ben toen op de boerderij van mijn oudste broer gaan
wonen. Mijn vrouw had me lang daarvoor verlaten en de
kinderen meegenomen. Ze haatten me allemaal. En terecht. Ik heb altijd veel gezopen. Dat deed mijn vader ook.
Mijn oudste broer had zich gered door zeer kerkelijk te
worden. Hij verafschuwde mijn gedrag. We hadden daarover vaak ruzie. Hij heeft me geld geleend zodat ik een
vervallen boerderij in de buurt kon overnemen, waar de
familienaam was uitgestorven. Daar heeft de dood mij gevonden.

Ik was geen goede boer. Te veel het stadsleven gewend.
Maar ik had een aantal goede boys daar voor me werken.
Ze wisten precies hoe het moest en namen genoegen met
het leven van hun voorouders. Zij deden het werk en we
deelden de opbrengst zoals ze dat gewend waren: één
voor Jonas, één voor de baas, één voor Simeon, één voor de
baas, één voor William, één voor de baas, enzovoort. Snap
je het? Dan had ik de ene helft en zij deelden met z'n allen de andere helft. Zo is dit land groot geworden. Jammer
dat het nu zo befok is geraakt. Gelukkig tellen de nieuwe
regels die in de stad gelden niet op het platteland. Iedere
boer maakt zijn eigen regels. Zijn mensen hebben de keuze om die óf te accepteren óf op te donderen met hun hele
kroost. Je moet ze echt onder de duim houden, anders gebeuren er rare dingen. Hun haat voor ons is bijna even

groot als hun angst. Dat kregen we met de paplepel ingegoten. Onze voorouders hebben hun land afgepakt. Dat zit hen nog steeds dwars. Logisch toch?

'Hoe zou jij het vinden als mensen jouw land zouden afpakken en jou als een slaaf zouden behandelen?' vroeg mijn vader weleens als hij een heldere bui had. Hij was er heilig van overtuigd dat zij bezig waren om moeti te maken. Da's een soort voodoo, tovenarij, waar ze je nagels en haar voor nodig hebben. Ze maken je helemaal befok, met visioenen, nachtmerries en hallucinaties die zo vreselijk zijn dat je uiteindelijk zelfmoord pleegt. Daarom liet hij zich altijd in de badkamer knippen door mijn moeder. Hij zette de stoel midden op een uitgevouwen krant zodat zijn nagels en haar daarop zouden vallen. Als mijn moeder klaar was vouwde hij de krant voorzichtig op en stak hem in de fik. Dat deed hij in bad zodat hij zeker wist dat er niks overbleef voor moeti. Hij beweerde ook dat de alcohol hem beschermde tegen de toverdrank. Dat is de wereld waarin ik opgroeide. 'Eerst schieten, dan vragen stellen,' zei mijn vader altijd als we op zondag na de kerkdienst de tijd doodden met het schieten op bierblikjes.

Het is dus helemaal niet vreemd dat ik bij de politie ging en dat ik heel ver ben gegaan om ons land en volk te verdedigen. Mijn vader vond het prachtig en mijn moeder ook. Vooral omdat ze wisten dat ik als politieman nooit naar de Grens zou hoeven om te vechten tegen de communisten die ons van alle kanten belaagden. Maar goed, die communisten waren ook al onder ons. Met hun mooie praatjes en beloftes van vrijheid en grote huizen en een blanke vrouw voor iedere zwarte man. Alles werd door hen verziekt. Ik vond het een eer om een kleine bijdrage te mogen leveren aan de strijd om hen te ontmaskeren en uit te schakelen.

Ik ging werken op het centrale politiebureau. Daar was een speciale afdeling voor het verhoren van verdachten en criminelen. Er wordt beweerd dat wij heel gewelddadig te werk gingen, maar het was meestal de allerlaatste optie. Je hebt er veel meer aan als je iemand weet te overtuigen dat ze informatie aan je moeten doorspelen omdat dat in hun eigen voordeel is, of beter is voor de gezondheid van hun familie en vrienden. Het werd vooral heel makkelijk voor ons toen ze elkaar in de fik begonnen te steken. Dat gebeurde met mensen van wie ze dachten dat ze met ons samenwerkten. Een gerucht is snel verspreid. Je hoefde alleen her en der op bezoek te gaan met nogal specifieke vragen. Daardoor leek het alsof iemand informatie aan ons had doorgespeeld. Dat verhaal ging natuurlijk meteen een eigen leven leiden. Vooral omdat ze wisten wie er gearresteerd was. En dan gingen wij rustig weer terug naar degene die vastzat en vertelden we dat zijn makkers op hem zaten te wachten met een fijne rubberen halsband gevuld met benzine. We speelden het spel nogal slim, al zeg ik het zelf. Maar soms moesten we heel snel informatie hebben. Dan moest je wel de harde hand gebruiken en, zoals in iedere oorlog, vielen er weleens doden.

Die journalist wou het over een zo'n geval hebben. Hij belde 's nachts op en bood me geld om zijn vragen te beantwoorden. Ik was al behoorlijk dronken. Maar het boeide me wel. Vooral omdat hij het over de oude tijd en mijn werk wou hebben. Het zijn van die zaken waar je niet vaak met anderen over praat. Omdat ze zich dan allemaal rare gedachten in hun hoofd gaan halen. En mijn naam was toch al stront onder mijn dorpsgenoten. Kortom, ik vond het wel leuk om met een vreemde te praten over het verleden. En het geldbedrag dat hij bood was dusdanig groot dat ik geen nee kon zeggen.

Ik had een iel mannetje verwacht. Zo zijn journalisten meestal. Ik heb er een aantal ondervraagd, dus ik kan het weten. Maar toen hij uit zijn huurautootje stapte zag ik dat hij stevig gebouwd was. Hij was ongeveer even lang als ik, met een kaalgeschoren hoofd en een grote baard, die er uitzag alsof hij opgeplakt was. Hij sprak onze taal als een rooinek, dus hij was van hier. Toen hij zijn zonnebril afdeed en mij voor het eerst aankeek begon ik te twijfelen of het wel een goed idee was geweest om hem uit te nodigen. Heb je weleens de ogen gezien van een hond die staat te grommen? Net voordat hij toehapt? Ze hebben een heldere blik. Alsof al hun aandacht op jou is gevestigd, met maar één doel voor ogen. Zo keek hij dus naar mij. Maar zijn mond lachte en hij stelde veel vragen.

'Ben jij dit?' vroeg hij en legde wat blaadjes voor me op tafel neer. Het waren fotokopieën van een politieverslag uit 1976. 'Hoe kom je hieraan?' vroeg ik. Hij antwoordde lachend dat tegenwoordig alles te koop is. Er ontstond toen een lang gesprek over de teloorgang van het land, over het werk dat ik had gedaan, over mijn jeugd, mijn familie, de plaats waar ik was opgegroeid. We hebben samen driekwart fles Klipdrift leeggedronken. Ik weet dat journalisten veel zuipen, maar deze man leek een lever van staal te hebben. Zelfs na twee uur flink doortanken was hij nog nuchter. Ik heb hem zo'n beetje alles over mezelf verteld. Alsof het een oude vriend was die je jarenlang niet meer had gezien. Iemand met wie je in een ver verleden moeilijke tijden hebt doorstaan. Hij leek mijn gedrag ook helemaal niet te veroordelen. Uit zijn vragen was het duidelijk dat hij er alles aan deed om mij te begrijpen. Ik ben nog nooit bij een zenuwarts geweest, maar ik stel me voor dat het zo zou zijn.

'Maar goed,' zei hij uiteindelijk, 'je hebt mijn eerste vraag nog steeds niet beantwoord: ben jij dit?' Ik was toen inmiddels flink aangeschoten. Het verslag ging over een ondervraging die bijna dertig jaar daarvoor had plaatsgevonden. Dus ik kon me er in eerste instantie niks meer van herinneren. Maar het was duidelijk dat ik erbij betrokken was geweest. Ik herkende de namen van mijn collega's Wimpie en Jaco. En onze handtekeningen stonden eronder. We hadden blijkbaar ene Petrus Sipho Modiso ondervraagd over de ontvoering/verdwijning van ene Winston Sandile Nthunya. Pas toen ik zag dat het allemaal op de dag voor kerst was gebeurd begon er een heel klein lichtje bij me te branden. Vooral omdat ik me kon herinneren dat iedereen de diensten rond de kerst haatte. En het was natuurlijk heel makkelijk om die woede en frustratie bot te vieren op de figuren die je over de vloer kreeg.

Toen ik vroeg: 'Wie is die Nthunya? Een activist?' antwoordde die journalist dat het een baby'tje was geweest, nog geen jaar oud. 'Lees het maar even door,' zei hij. Uit het verslag werd duidelijk dat die Petrus werd verdacht van de ontvoering van zijn zoontje, die bij zijn moeder woonde die bij een blanke familie werkte. Een van de zoontjes van de blanke familie had beweerd dat hij Petrus had herkend op de dag dat het jochie werd ontvoerd. We hebben die Petrus blijkbaar flink toegetakeld want aan het eind van het verslag stond dat de arts hem diezelfde nacht nog dood in zijn cel had aangetroffen.

'Hij had het waarschijnlijk verdiend,' zei ik.

'Is er niks anders dat je opvalt?' vroeg de journalist. 'Een naam bijvoorbeeld?'

Toen pas zag ik het staan: Remco de Heer. 'Dat ben jij toch?' vroeg ik. 'Was jij het blanke jongetje?'

Hij knikte en zei: 'Ik wou je graag in de ogen kijken.'

Ik voelde me misselijk worden van woede en ook een beetje van angst. Hij had mijn vertrouwen misbruikt en had me misleid met zijn vragen en geveinsde interesse. Een typische fokking rooinek. Ik had ook geen idee wat de consequenties zouden kunnen zijn als hij het verslag zou publiceren. Dan zou ik de hele bende op mijn dak krijgen. Ik was woedend. En dat zag hij meteen.

Hij stond op, legde een envelop op tafel en zei: 'Het wordt tijd dat ik ga.'

'Niet zo snel, vriend,' zei ik. 'Waar ga je dat verslag voor gebruiken?'

'Daar kom je nog wel achter,' zei hij en liep naar de deur.

Hij stond te klooien met de twee sloten op de veiligheidsdeur toen ik van achter op hem instak. Hij hoorde me aankomen en weerde de messen af met zijn armen. Hij was een stuk jonger en sneller dan ik. En ik was dronken. Ik kreeg een trap in mijn kloten en viel op mijn knieen. Hij dacht dat het over was, probeerde weer de deur open te krijgen. Toen stak ik in op zijn billen en benen. Het ene mes bleef steken in zijn kuit, met het ander probeerde ik mezelf te beschermen toen hij begon te schoppen. Hij bleef heel stil. Alsof hij een robot was. Alsof de pijn hem helemaal niets deed. Hij bleef maar schoppen. Met het mes nog in zijn been.

Toen maakte ik de stomste fout van mijn leven. Ik begon om hulp te roepen, die nooit zou komen omdat de mensen op wiens hulp ik hoopte nooit hun leven zouden riskeren voor een man die hen zo vernederd had. Bovendien had ik ervoor gezorgd dat ze zo ver mogelijk van mijn eigen huis vandaan woonden. Zodat ik niet geconfronteerd zou worden met hun verfoeilijke gewoontes.

[...]

Deo: Ik heb mezelf heel impopulair gemaakt, Eugène.

EH: Dat valt wel mee. We gaan de jongens bij elkaar roepen en orde op zaken stellen. Dit kan zo niet verder.

Deo: Je begrijpt het niet, Eugène. Dit gaat veel verder terug.

EH: U draagt een zware last met u mee. Al heel lang. Maar ik heb goed nieuws. Ik heb uw broer gesproken en hij komt hierheen.

Deo: Mijn broer is dood, Eugène.

EH: Pardon? Ik heb hem gisteren aan de lijn gehad.

Deo: Mijn broer is jaren geleden bij een ongeluk omgekomen.

EH: Maar ik heb hem toch echt gesproken gisteren.

Deo: Hoe weet je dat hij het was? Heb je enig idee hoe ver ze kunnen gaan, Eugène?

EH: Over wie hebben we het?

Deo: Snap je het nog steeds niet? De netwerken, Eugène, de netwerken.

EH: Welke netwerken?

Deo: Denk je dat die figuren gewoon zijn opgelost en verdwenen, Eugène?

EH: Welke figuren? Ik begrijp het niet helemaal.

Deo: De old boys-netwerken: SS, Gestapo, Mossad, BOSS, CIA, noem maar op. Die jongens houden allemaal contact met elkaar. Die hebben toegang tot een goudmijn aan informatie en middelen. Een paar telefoontjes en ze hebben iemand uitgeschakeld. Vooral als je vastzit.

EH: Maar waarom zouden ze jou willen...

Deo: De man die jij hebt gesproken, die zich voordoet als mijn broer, is waarschijnlijk lid van de BOSS-old boys. Snap je dat dan niet?

EH: Wat is BOSS?

Deo: Bureau of State Security. Zij knapten alle vuile klusjes op voor het apartheidsregime.

EH: Maar wat moeten ze met u?

Deo: Daar heb ik vroeger voor gewerkt. Ze vinden het heel vervelend als je eruit stapt. Maar zij zijn niet de enigen.

EH: Wacht even. Ik volg u niet meer.

Deo: Als je eenmaal in het circuit zit kom je er niet meer uit, snap je? Je bent voor altijd verstrikt in het netwerk, het web. Dan moet je in beweging blijven. Daarom is Mick zo moeilijk te vinden.

EH: Maar wat heeft Mick hier dan mee te maken?

Deo: Mick en ik werkten voor de CIA.

EH: Jullie werkten voor de CIA?

Deo: Het journalistieke werk was een dekmantel, Eugène. We werden betaald om vuile klusjes op te knappen. Dat verklaart de vinger.

EH: De vinger die je bij je had?

Deo: We moesten altijd bewijs leveren dat we de missie hadden volbracht.

EH: Ik vind het moeilijk om dit te geloven.

Deo: Ga je weleens naar de film, Eugène? Lees je wel
      eens een spionage-thriller?

EH: Ja, maar ik vind dit tamelijk bizar.

Deo: Dat zeggen ze altijd tegen degene die hen waar-
      schuwt. Hij wordt afgedaan als een gek, paranoïde,
      alsof hij bezeten is van complottheorieën, de boel
      bij elkaar liegt.

EH: Maar hadden jullie dan niet gewoon een foto kun-
      nen maken?

Deo: Da's onvoldoende, Eugène. Foto's kunnen liegen.
      Wij werkten als een soort freelancers. We kregen
      alleen uitbetaald als we DNA konden leveren. En
      een vingerafdruk is natuurlijk ook handig.

EH: Ik moet dit allemaal verifiëren.

Deo: Denk je dat daar tijd voor is, Eugène? Doe toch niet
      zo naïef. Het net sluit zich om mij heen.

EH: Maar hoe stelt u zich dat dan voor?

Deo: Ik heb het vermoeden dat ze al binnen zijn.

EH: Dat lijkt mij zeer onwaarschijnlijk.

Deo: Ik word van alle kanten bedreigd, Eugène. Alle jon-
      gens die hier zitten, en hun families, kunnen geld
      gebruiken. Een paar telefoontjes en het is zover. En
      ik kan geen kant op.

EH: Maar alle telefoongesprekken worden gemoni-
      tord...

Deo: Godsamme, Eugène, je denkt toch niet dat zo'n op-
      dracht in gewone-mensentaal wordt doorgegeven?
      Dat gaat allemaal met codes. De hele tent wordt in
      de gaten gehouden. Misschien zijn Henk of Greg of
      Claudio erbij betrokken.

EH: Maar waarom zouden ze dat willen doen?

Deo: Christus, Eugène, wat ben jij naïef. Is het je opgevallen dat de helft van je cellen vol zit met mannen die van verre komen?

EH: Wat wilt u daarmee zeggen?

Deo: Weet jij wat die mannen op hun kerfstok hebben?

EH: In de meeste gevallen wel.

Deo: Ik bedoel niet wat ze hier gedaan hebben, maar wat ze daarvóór gedaan hebben, in het land waar ze vandaan komen.

EH: Soms wel en soms niet. Maar dat verklaart nog steeds niet wat ze met jou willen en hoe ze dat voor elkaar zullen krijgen.

Deo: Nou, ik zal even een gokje wagen, Eugène. Binnenkort breekt de tyfus hier uit. Dat is de dekmantel, de afleidingsmanoeuvre die ze gebruiken om mij te grazen te nemen. Meestal laten ze het lijken op een ongeluk of op zelfmoord. Zo gaan ze te werk. Zo gingen wij ook te werk.

EH: Dus je hebt hier zelf ervaring mee?

Deo: Natuurlijk, Eugène. Dat heb ik toch net al verteld. Daarom wilden ze mij in het café pakken. Maar ik heb me verzet.

EH: Ik snap het niet helemaal.

Deo: Er kwamen drie figuren met bivakmutsen binnen, die me wilden ontvoeren. Toen heb ik ze te grazen genomen. Ik moest wel.

EH: Volgens mij komt dat niet overeen met de getuigenverklaringen...

Deo: Ik wil mijn advocaat spreken. Ik moet hier weg.

EH: Dat kan ik voor u regelen, maar ik verzeker u dat u geen gevaar loopt.

Deo: Doe toch niet zo naïef, Eugène.

EH: Volgens mij zou het heel gezond zijn als u uw broer
te woord staat. Hij leek mij een prettig...
Deo: Waag het niet, Eugène. Ik wil met rust gelaten wor-
den.
EH: Ik vind het jammer...
Deo: Henk!

[...]

Delft

Je hebt maar één vriend. Hij zegt niet veel. Hij gebruikt
het liefst beelden. Zonder onderschriften. Die moet je er
zelf bij verzinnen. Je hebt hem nooit verteld hoeveel je
van hem hield. Eigenlijk moet je de tegenwoordige tijd
gebruiken, want je houdt nog steeds van hem. Je draagt
zijn beelden bij je. Deze bijvoorbeeld:

Op de achterkant staat jouw adres met een pen geschreven en verder niks. Ja, een postzegel met een stempel om aan te geven in welk land de foto is gemaakt. Je vriend hoeft niet aan je uit te leggen waarom hij deze macabere ansichtkaarten steeds naar je stuurt. Je weet dat het een lofzang is op jullie riskante leven, de kogels die jullie hebben weten te ontduiken, de ongelukken die jullie hebben overleefd. 'Kijk,' zegt hij met de foto's, 'hier stierven wij weer niet.' Het is een onnodig roekeloze hobby, bermmonumenten fotograferen. Het is niet slim om te parkeren op een plaats waar het noodlot al eerder slachtoffers heeft gemaakt. En daar ligt het verschil tussen jullie. Hij is een adrenaline-junkie die de risico's bewust opzoekt. Daarom is hij zo'n uitzonderlijke fotograaf. Jij bent rampenjager geworden om je naasten te behoeden voor het ongeluk dat je lijkt aan te trekken. In de rampgebieden waar je werkt valt het minder op dat je een pechmagneet bent, want iedereen is al getroffen door het noodlot.

Jullie ontmoeten elkaar tijdens de Eerste Golfoorlog. Het is er heet en stoffig en kogels zingen om jullie heen. Jullie duiken van twee kanten achter een verpulverd muurtje en lachen opgelucht omdat de ander geen soldaat is. Al snel zijn jullie in een riskante competitie met elkaar verwikkeld. Binnen enkele minuten is het duidelijk dat hij zal winnen. Hij gaat juist staan als er salvo's klinken, terwijl jij met je camera boven je hoofd blind foto's schiet over het muurtje heen. 'Poep,' zegt hij als er kogels dichtbij inslaan en hij dekking moet zoeken.
'Poep?' lach jij.
'Poep,' zegt hij en staat weer op.
Tijdens een luwte komt hij naast je hurken, ruggen

tegen de muur. Jullie schudden elkaar de hand. Hij zegt 'Mick' en als jij 'Deo' zegt kruist hij zichzelf lachend en slaat zijn ogen ten hemel. Althans, dat denk je. Eigenlijk kijkt hij naar een hoger gelegen etage, die duidelijk door een voltreffer is geraakt. Als hij zijn ogen afschermt zie je dat hij een gouden dameshorloge draagt. Heel verfijnd, achter zijn pols, op het dunste deel van zijn voorarm. Het ziet er belachelijk uit, vooral omdat alle andere nieuws-honden elkaar tarten met steeds grotere James Bond-achtige klokken.

'Schattig,' grap jij.

'Van mijn moeder geweest,' zegt hij.

Voordat je je kan verontschuldigen roept hij: 'We doen wie het eerste boven is.' Hij springt meteen op. Jij volgt hem het huis in. Al flitsend leggen jullie het macabere oorlogsgehakt vast. Je hoort hem boven aan de trap zijn afgrijzen uitfluiten. Samen flitsen jullie van alle kanten op de verkoolde kluwen in. 'Leuk voor de dia-avond thuis,' zeg jij, omdat je denkt te weten dat zulke beelden onver-koopbaar zijn.

'Iedere klant heeft zo zijn wensen,' zegt Mick.

'Dan heb ik nog wat voor je liggen,' zeg jij.

'Prima. Ik verkoop ze wel.'

Later begin je te merken dat hij ook dingen vastlegt die volledig aan jou voorbij zijn gegaan. Hij gaat ook 's ochtends vroeg en 's avonds laat op stap om verwoeste levens vast te leggen. Verstilde beelden van een wereld waar alles door actie wordt bedreigd. Kinderen die tussen de ruïnes spelen, sporen van geweld op onverwachtse plaatsen, een waslijn gespannen tussen uitgebrande auto's, gesmolten bloemen bij een graf, en steeds weer de magere honden, die niet beseffen dat ze kunnen vluchten, trouw aan hun territorium, gebonden aan de mensenhand tot aan hun dood.

Als jullie wegen scheiden, na die eerste ontmoeting, vraagt Mick om jouw kaartje. De volgende ochtend is hij al voor het ontbijt vertrokken. Zijn kaartje heb je nooit gehad. Een paar maanden later neemt hij contact met jou op. Hij belt je thuis en zegt simpelweg: 'Joegoslavië? Jij schrijft, ik schiet.' Hij zegt het met zo'n vanzelfsprekendheid dat je bijna niet kunt weigeren. Alsof jullie al jaren samenwerken. Alsof jullie samen een biertje gaan drinken.

Inmiddels weet je dat niemand meer met Mick op stap durft. Dat heb je van meerdere collega's gehoord. 'Hij kruipt onder het prikkeldraad door het mijnenveld in en gaat dan dansen,' vatte een een het samen. 'Ik weet niet hoe hij aan zijn contacten komt,' zei een ander. 'Waarschijnlijk CIA.' Maar dat zegt men over iedereen die beter voorbereid is en daadwerkelijk risico's durft te nemen.

Jullie zijn beiden zeer praktisch ingesteld. De vraag is nooit *of* jullie ergens kunnen komen, maar *hoe*. Jullie zijn geen van beiden bang voor het donker of vies van bloed en modder en ellende. Jullie hebben beiden buiten de gebaande paden geleefd en, misschien nog het allerbelangrijkste, jullie eten niet alleen wat de pot schaft maar vinden het nog lekker ook, of jullie kunnen heel goed doen alsof. 'Bij elke maaltijd ligt het hart voor het grijpen,' zegt Mick. En hij heeft gelijk. Het is de meest menselijke manier om vertrouwen te winnen en verhalen te horen zonder een enkele vraag te hoeven stellen. Vaak blijkt jullie tolk verguld dat jullie bij hem thuis komen eten. Binnen een paar uur komen jullie meer te weten over het land en de omstandigheden dan anderen in een week of een maand of een jaar zouden kunnen achterhalen. Een slim gekozen kleinigheid voor de gastvrouw en wat presentjes voor de kinderen en jullie worden al snel opgenomen in de boezem van de familie. Ter afsluiting maken jullie altijd een familiefoto. Die wordt vervolgens met zorg op groot formaat afgedrukt en toegezonden. Bij het wederzien worden jullie vaak als vrienden onthaald en hangt de foto netjes ingelijst in de woonkamer. Natuurlijk is het een slimme list, maar jullie delen een oprechte interesse in de verwoeste levens die in de schaduw van de krantenkoppen staan.

Steeds weer zetten jullie samen je leven op het spel. Bijna vijftien jaar lang. Op het slagveld en aan tafel. Jullie willen een kookboek maken met recepten uit oorlogsgebieden. Rijk geïllustreerd met foto's uit Rwanda, Kroatië, Sierra Leone, Somalië, Bosnië, Libanon, noem maar op. Oorlogen die allang van de voorpagina zijn verdreven door andere oorlogen. Jullie maken beiden foto's en jij houdt de statistieken bij: doden, gewonden, plaats, citaat partij A, citaat partij B, citaat vredesmacht. Doelloze voetbalwedstrijden waar niemand vrolijk van wordt. Je schrijft ook onderschriften bij de foto's die jullie selecteren. Vaak hoef je alleen de namen van de strijdende partijen en plaatsnamen te veranderen. Geen enkele lezer zit erop te wachten, maar de agentschappen zijn met elkaar in competitie om het nieuwste nieuws als eerste te brengen. Je hebt de gevaarlijkste administratieve baan ter wereld. Gelukkig schrijf je ook nog stukken voor jezelf, die je alleen met Mick deelt. Hij vindt ze prachtig. Daar zijn vrienden voor.

Mick reist nog veel meer dan jij. Ook buiten reportages om. Soms blijft hij hangen in een land. Er is altijd wel een provincie die als rustoord dient voor de strijdende partijen. Als jullie wel samen thuiskomen, dan stapt Mick meestal in zijn busje, zijn surfplank achterin, of op het vliegtuig op weg naar verre oorden, liefst een kustlijn met een mooie golf. Altijd alleen. Je vraagt plagend of hij ooit een vriendin heeft gehad. Hij lacht en haalt een stevig kartonnen doosje tevoorschijn ter grootte van een briefkaart. Op het label staat 'Dames'. Er zitten foto's in van vijftig vrouwen, meisjes eigenlijk, meestal op het strand in bikini, bruingebakken, schitterende tanden omkranst door zongebleekte slierten haar. Van sommigen zijn er meerdere foto's, alsof Mick daarmee aangeeft dat de relatie langer dan een nachtstop heeft geduurd. 'Ik ken hun namen niet,' zegt hij als je achterop de foto's kijkt. En dan corrigeert hij zichzelf: 'Ik weet niet meer welke naam bij wie hoort.'

Het einde van jullie vriendschap wordt ingeleid met een vraag: 'Hoe zou het met de Tamiltijgers gaan?' Jullie spelen al langer met de gedachte om een serie te maken over Verdrongen Oorlogen. Verhalen over landen die niet langer nieuwswaardig worden geacht omdat elders het bloed nog harder wordt vergoten. Al snel besluiten jullie dat 'Kerst in Sri Lanka' een mooie titel is voor het eerste hoofdstuk.

Jullie stappen op het vliegtuig naar Colombo. Mick heeft natuurlijk zijn surfplank bij zich. Een hoop gedoe, maar uiteindelijk mag het ding toch mee in de cabine. De grondstewardess is niet bestand tegen jullie charme-offensief. Eenmaal aan boord begint het werkoverleg. Jij ging ervan uit dat jullie met een gids-tolk-chauffeur vanuit de hoofdstad naar het noorden zouden rijden. Daar ligt het gebied van de Tamiltijgers en hun hoofdstad Kilinochchi. Maar Mick vindt dat veel te ingewikkeld. 'We vliegen naar Jaffna,' zegt hij. 'Da's een uurtje rijden van Kilinochchi.' Hij heeft zelf al een ticket geboekt. Hij is je meestal een stapje voor en krijgt daarom vaak zijn zin. 'Misschien kun je dit keer je surfplank in je hol proppen,' opper jij terwijl jullie naar de ticketbalie toe lopen. 'Ik vergeet steeds hoe grappig je bent,' zegt hij. 'Het blijft een leuke verrassing.'

In Jaffna worden jullie opgepikt door Jaga. Hij is leraar maar kan dit soort gouden klussen niet laten lopen. Zijn Engels is uitstekend. Jij noteert een aantal prachtige volzinnen. 'They have laboured uprightly and courageously. We should hang upon them wreaths of our perfect gratitude and heartfelt felicitation.' Dat zegt Jaga over de Noren die een staakt-het-vuren hebben bewerkstelligd tussen de regering en de Tijgers. Over jullie accommodatie zegt hij: 'You are lodged in the incomparably splendid Blue Heaven.'

De Blauwe Hemel is inderdaad onvergelijkbaar magnifiek. De kamers lijken helemaal nergens op, maar er hangt in ieder geval een klamboe. Jaga mag Micks surfplank dragen. 'Het is hier buitengewoon golfloos,' zegt hij.

'Dat weet ik,' zegt Mick.

'Is een surfplank dan niet onnodig belastend?' vraagt Jaga.

'Het is zijn vriendin,' zeg jij.

'Ze is redelijk onderontwikkeld in de borstregio,' bloost Jaga lachend.

Mick maakt van de gelegenheid gebruik om voor jullie twee een uitnodiging te ritselen. Jaga is vereerd en 's avonds zitten jullie bij zijn vrouw en zes kinderen aan tafel. Mevrouw Jaga heeft heerlijk gekookt. Ze is verguld met de sjaal die Mick voor haar heeft gekocht. Jullie krijgen krabcurry. Zij eten kleine visjes die vooral uit graten lijken te bestaan. Het zou onkies zijn om dit verschil ter sprake te brengen. Het eten is de weg, niet de bestemming. Een paar welgeplaatste vragen en er gaat een wereld voor jullie open. Er zijn maar weinig mensen die niet trots zijn op hun eigen land. Je bent al snel een held als je dingen wilt zien en weten. Als jullie uitleggen dat jullie graag de kerken en gelovigen in de omgeving willen fotograferen, vertellen Jaga en zijn vrouw honderduit over de verschillende religies. Het is twee dagen voor kerst. Jaga zegt dat hij sinds zijn jeugd al bevriend is met een priester en dat hij wel een plekje kan ritselen aan de tafel van de bisschop. Het kerstdiner blijkt inderdaad 'een jaarlijks terugkerend feestelijk hoogtepunt' te zijn waarmee de kerk steeds nieuwe zielen weet te winnen. Jaga moet lachen om de 'verwondering die op jullie gezichten staat geschreven' en zegt dat iedereen rond deze tijd een beetje in kerst gelooft. De kinderen tonen trots hun tekeningen van *Naththal Seeya*. 'Dat is de kerstman,' zegt Jaga. Jullie hadden hem al herkend.

St. Mary's Kathedraal zit stampvol. Buiten staan jullie, al flitsend, met verbijstering te kijken hoe de gelovigen toestromen voor de nachtmis. Het lijkt wel of de hele bevolking naar binnen wil. Ze zijn allemaal prachtig uitgedost. Alsof iedereen zijn beste beentje voor wil zetten en de kansen op het hiernamaals wil beïnvloeden. 'Je weet maar

nooit welke god de juiste is,' zeg jij. Mick is minder cou-
lant: 'Racisme, religie en rabiës – dat waren de geschen-
ken die de wijzen uit het Westen met zich meenamen.'

Gods hand in Rome is blijkbaar gul geweest. De bisschop en zijn priesters dragen prachtige gewaden en de
kerk is zeer goed onderhouden, ondanks het feit dat het
Jaffna-schiereiland eeuwenlang een strijdperk is geweest.
Jaga heeft jullie tijdens een aantal uitstapjes in de omgeving al goed op de hoogte gebracht van alle ellende. Zelfs
het barre landschap lijkt in zichzelf gekeerd, getraumatiseerd. Alleen de gladde spiegel van de oceaan lijkt zich
niks aan te trekken van het leed op het eiland. En God natuurlijk. Maar de bevolking lijkt vooralsnog geneigd om
Zijn onbarmhartige desinteresse door de biddende vingers te zien. Jaga vertelt dat er ook nog een St. John's en
een St. Anthony's zijn, plus nog een stuk of vijf andere
kerken in de stad. Daarnaast zijn er nog vele geloofshui-
zen voor boeddhisten, hindoes en moslims, zodat God
zich elke week ergens anders kan verstoppen.

Op eerste kerstdag zijn jullie ook druk bezig met het vast-
leggen van christenen die vol overtuiging bidden en zingen tot de blanke heiland in zijn lendendoek, die ondanks
zijn penibele toestand een onweerstaanbare aantrek-
kingskracht lijkt te hebben. Als de bisschop de beoogde
titel van jullie stuk hoort wordt het helemaal een feest.
Hij wil jullie graag als eregasten verwelkomen aan zijn tafel bij het kerstdiner. Ook zijn hoogwaardige excellentie
weet van de Engelse taal een feest te maken: 'We laven ons
aan een cornucopia aan traditionele gerechten zoals voed-
zame gebakken rijst, diverse overheerlijke curry's en een
rijk palet aan bijgerechten.' Tussen de gangen door wor-

den er traditionele kerstliederen gezongen in het Sinhala en Tamil, waardoor Stille Nacht toch weer fris in de oren klinkt. Er wordt veel te veel gegeten en gelachen. Het is moeilijk voor te stellen dat mensen zo gelukkig kunnen zijn zonder alcohol.

Als klap op de vuurpijl is daar het bezoek van Naththal Seeya, die snoep uitdeelt aan de joelende kinderen en zwetend in zijn rood-witte pak aan zijn voorbindbaard staat te sjorren. Mick roept lachend 'schandalig!' en wijst op de voeten van de kerstman, die op sandalen loopt, een wijze keuze gezien de temperatuur. De lucht in de feestzaal is verstikkend en de lenzen van de camera's beslaan steeds. 'Ik geloof dat ik genoeg niet heb gezien,' zegt Mick en jullie nemen onder luid gejuich afscheid van de bisschop en jullie tafelgenoten, uiteraard met de belofte dat de foto's worden toegestuurd.

Door de stille straten lopen jullie naar de Blauwe Hemel. Jullie gesprek bestaat uit een serie korte pauzes onderweg, waarbij er beurtelings wordt geflitst en soms gelachen. Zo wordt de hele wandeling vastgelegd. Pas bij het hek van het hotel komt de komende dag ter sprake. Om twaalf uur vertrekt de veerboot naar het eiland Delft, dat op anderhalf uur varen voor de kust ligt. Al vierhonderd jaar leven er paarden op het eiland, sinds de Portugezen en Nederlanders er aan wal kwamen om er forten te bouwen en oorlogje te spelen. 'Iedereen is dol op wilde paarden,' zegt Mick. 'Voor iedere foto van een uitgemergeld mens kan ik er vijf van uitgemergelde dieren verkopen.'

Een eilandbewoner wil jullie wel naar de paarden brengen. Voor een handvol roepies mogen jullie meerijden op zijn tractor. De zon jaagt iedereen over het hardgebakken maanlandschap de schaduw in. Jullie stoppen bij een diepe put om te drinken. Kinderen trekken het water omhoog in plastic emmers. Ze lachen als Mick het water over zijn hoofd en shirt laat stromen. 'Ik ben er klaar voor,' zegt hij en verlaat de parasol van de baobabboom. De paarden hebben in de verte de koelte van het water opgezocht. Mick roept over zijn schouder: 'Doe jij het fort en de omgeving hier?' Geen *famous last words*, gewoon een dienstmededeling. Als je had geweten wat er ging gebeuren had je beter opgelet, had je wat kunnen zeggen over zijn ietwat kromme rug en zijn lange benen die statig voortschreden als die van een giraf, of over de vlek op zijn shirt die als een donker continent over zijn rug strekte. Maar jullie zwaaien geen van beide. Het afscheid zou pas later komen.

Jouw gelegenheidsgids neemt alle tijd voor de rondleiding. De zon heeft alle snelheid uit de lucht gezogen en haar in hitte omgezet. Alleen de zwaarste muren van het Nederlandse fort staan nog overeind. Ze zijn gebouwd van zwart koraal dat ongetwijfeld door de lokale bevolking met gevaar voor eigen leven uit de zee is gewonnen. Gezeten op het stenen muurtje van de put in de schaduw van de oude baobab maak je wat aantekeningen. Je kunt nog precies zien waar je bent gestopt.

'Aiaiaiaiaiai!' roept een jongetje en je volgt zijn wijzende vinger. Onder aan een stofwolk galopperen honderd paarden. Ze komen jullie kant op. Je eerste gedachte is dat Mick ze heeft opgejaagd om een spectaculaire foto te kunnen maken. Maar dan zie je dat ze worden achter-

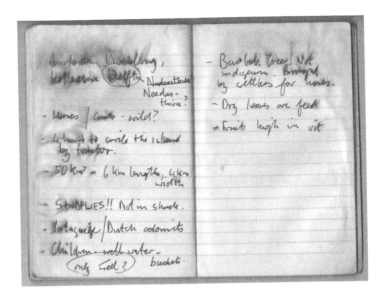

volgd door een golf van bijbelse omvang, die als een alles-
vertrappende rij wraakzuchtige schuimpaarden over het
land trekt. Als een dier vlucht je de baobab in. De eeuwen-
oude takken klagen onder het gewicht van klimmende
en zittende mensen. Je stoot een jochie van zijn stek, probeert hem nog te grijpen, maar hij valt gillend achterover
tussen de paarden, die inmiddels door het kolkende water
zijn ingehaald. Je bent een vreemde vogel in een boom vol
boze inboorlingen.

De paarden draaien, bokken, hinniken nerveus onder
de boom, die op het hoogste punt van het eiland blijkt te
staan. Het water begint zich steeds verder terug te trekken. Er spartelen vissen op het droge land, kilometers van
de zee. Het is moeilijk voor te stellen dat het water net nog
onder de boom door spoelde. Vanaf jouw tak zie je het gevallen jochie tegen een muur aan liggen. Eerst lijkt hij
dood maar dan zie je een been bewegen en een arm. De

paarden stuiven wild uiteen als je uit de boom springt. Het jochie gilt wanneer je hem optilt. Zijn linkerarm hangt er vreemd bij. Vanaf de hoogste takken wordt weer geroepen: 'Aiaiaiaiaiai!' Er is een tweede golf op komst. De hele boom zit inmiddels vol. Het jochie past er nog wel bij, maar jij niet meer. Schuilend achter de baobab grijp je een tak vast. Je kent de zee en de kracht van golven, je bent een sterke zwemmer, maar hier is geen mens tegen bestand. Achteloos word je als een druif uit een tros losgetrokken van de tak en meegezogen door het water. De paarden zijn jouw redding. Je bevindt je op een levend, vechtend, bijtend eiland van huid en haar dat steeds kleiner wordt naarmate je verder de zee in wordt getrokken. De golf trekt weg en laat het water trillend achter alsof de aarde wordt geschud. Je kunt je moeilijk oriënteren, maar de paarden lijken feilloos de weg te weten. Je grijpt een staart vast en wordt meegetrokken, tussen de drijvende stammen en ander débris door. Steeds weer komen er lichamen rustig bovendrijven als nieuwsgierige nijlpaarden. Er wordt om hulp geroepen maar je kunt niks doen. Een man weet zijn angst te overwinnen en laat zijn tak los om een paardenstaart te grijpen. Samen worden jullie als levende lijken voortgetrokken naar het land. Zodra ze de grond onder hun voeten voelen zijn de paarden niet meer te houden. Ze galopperen hun soortgenoten tegemoet, die hen hinnikend begroeten. Jouw soortgenoten zijn minder enthousiast over je komst en lijken zich te verstoppen. Het eiland ligt bezaaid met delen van verwoeste woningen en halfbegraven lichamen. Alsof een verveelde kinderhand een speelgoedstad het zand in heeft gewreven.

De baobab staat nog. Als je dichterbij komt zie je dat er een groepje kinderen onder zit. Hun wanhopige gejammer is van verre te horen. Het jochie met de gebroken arm zit erbij. Tussen de schamele ruïnes van verwoeste huizen loopt een aantal mannen te zoeken. Soms roepen ze naar elkaar als ze een arm of been zien. Dan gaan ze samen graven. Het zijn allemaal bekenden die tevoorschijn komen. Jij bent de enige die op zoek is naar maar één persoon. Als je hen te hulp schiet word je als een held begroet. Met de uren vreet de stilte in op het verdriet, totdat alleen jullie werkende handen te horen zijn. Pas als er een witte jerrycan met water wordt gevonden begint de dorst te dagen en het besef dat een tekort aan water ook jullie dood kan betekenen. De put is nu tot de rand gevuld met zout water.

Jaga komt je halen. De ochtend na de golf. Hij omhelst je als een doodgewaande vriend. Hij vertelt dat zijn twee oudste zoons zijn verdronken. Ze waren samen met wat vrienden naar het strand gegaan. Toen hij eenmaal hun lichamen had gevonden werd hij door 'een onzichtbare hand gedreven om zich dienstbaar te maken aan anderen'. Het had even geduurd voordat hij een boot kon vinden en een zeeman die bereid was met hem naar Delft te varen. Ze hebben water en eten en kleding verzameld en meegenomen. 'Waar is mr. Mick?' vraagt hij. En als hij ziet dat jij het niet weet voegt hij eraan toe: 'We zullen hem samen zoeken.'

Drie dagen blijven jullie op het eiland. Samen bergen jullie vele lichamen. Er breekt bijna oorlog uit als een groep Sinhalese militairen aan land komt. De woede van de eilandbewoners, allen Tamils, wordt pas gekoeld als ze zien dat de soldaten een tentenkamp oprichten en op een geschikte plek een massagraf beginnen te graven. Steeds weer zeg je tegen Jaga dat hij naar huis moet gaan, naar zijn familie. Maar hij weigert te vertrekken voordat Micks lichaam is gevonden. Als hij hoort dat legerboten de zee afstruinen op zoek naar lichamen, vraagt hij de commandant om hem in te lichten als ze een blanke man vinden.

Op de derde dag word je geroepen door Jaga. Ze hebben Micks lichaam gevonden. Hij ligt aan boord van een legerboot die net is aangekomen. Je herkent zijn lange lijf al van verre tussen de kortere donkere vormen van de lokale doden. Hij ziet er redelijk ongeschonden uit, rustig zelfs, maar zijn lichaam is opgezwollen en er lopen zoute tranen uit zijn ogen, neus en mond. Hij ziet er naakt uit zonder zijn camera's. En zijn moeders gouden horloge is ook verdwenen. Jullie vragen aan de militairen of jullie Micks lichaam mee mogen nemen naar het graf. Twee militairen helpen jullie hem in een zeil te wikkelen en met z'n vieren dragen jullie hem naar een legertruck.

Jij en Jaga gaan tegenover elkaar zitten op de bankjes in de truck. Micks lichaam ligt ingezwachteld op de vloer tussen jullie in. Als een vlinder die zich wil ontpoppen springt de cocon lichtjes op en neer als de truck over de hobbels gaat. Het zeil valt open en Micks linkerarm komt tevoorschijn, zijn palm bedelend omhoog. Je vraagt aan Jaga of hij een zakmes bij zich heeft. Vol afschuw kijkt hij toe hoe je Micks pink eraf zaagt, in een papiertje wikkelt en in je zak stopt. 'Voor identificatie,' zeg jij. Jaga knikt. Het bebloede mes mag je van hem houden.

[...]

Gesprek met advocaat Roel van Beveren (RvB)

Deo: Dit loopt slecht af, Roel.

RvB: Hoe bedoelt u?

Deo: Het netwerk sluit zich om mij heen.

RvB: Het netwerk?

Deo: Ik heb hier geen tijd voor, Roel.

RvB: Ter zake dan maar.

Deo: Ik heb hier twee enveloppen voor je. Luister goed. De bovenste is aan jou geadresseerd. Dat is mijn testament. Mocht ik mijn verblijf hier niet overleven dan verwacht ik dat je dat ten uitvoer brengt.

RvB: Wordt u bedreigd?

Deo: Niet zo naïef, Roel. Je weet hoe ik heb geleefd. Dat heb ik uitgelegd.

RvB: Ja, maar u wordt hier goed bewaakt en...

Deo: De tweede envelop zal binnenkort bij je worden opgehaald. Jij zult een vraag stellen aan de man die hem komt halen.

RvB: Dit is wel heel geheimzinnig allemaal.

Deo: Er valt helemaal niks te lachen. Je bent een idioot, Roel, maar je bent momenteel de enige op wie ik kan rekenen. Kan ik op je rekenen, Roel?

RvB: U zet onze samenwerking wel onder druk zo.

Deo: Kan ik op je rekenen, Roel?

RvB: U kunt op mij rekenen, maar het grenst allemaal wel aan het onaanvaardbare.

Deo: Mijn leven is die grens al vele jaren geleden gepasseerd, Roel. Zou je dit voor me willen doen alsjeblieft?

RvB: Ik zou misschien een overplaatsing kunnen regelen.

Deo: Dat duurt te lang, Roel. Morgen ben ik misschien al dood.

RvB: Waarom denkt u dat?

Deo: Ik voel het, Roel. Ik zie het. Er is geen ontkomen aan.

RvB: Ik neem de enveloppen mee, maar ik ga ook proberen om een overplaatsing te regelen.

Deo: Da's fijn. Als de man langskomt moet je een vraag aan hem stellen. Alleen als hij het juiste antwoord geeft, geef jij hem de envelop, begrepen?

RvB: Glashelder. Schrijf de vraag en het antwoord maar op de envelop.

Deo: Ik schrijf helemaal niks op, Roel, en dat moet jij ook niet doen. Je moet luisteren en onthouden. Meer niet.

RvB: Prima.

Deo: (Fluistert onhoorbaar)

RvB: Nog een keer alstublieft.

Deo: (Fluistert onhoorbaar)

RvB: Duidelijk. Ik zal zorgen dat ze u extra in de gaten houden. Ik hou u op de hoogte.

[...]

Het maakt allemaal niks uit. Je kunt bijten en krabben, denken en kotsen, spugen en dromen, doden en neuken wat je wilt. Het maakt allemaal toch niks uit. Omdat alles wat je doet toch vergeten wordt. Ooit. Waarom zou je je dan zorgen maken over wat wel en niet mag? Het kan toch niemand wat schelen. Uiteindelijk. Alles wordt weggepoetst, gladgestreken, begraven, gaat verloren, verdampt. Wil je weten waarom mensen zichzelf doden? Omdat ze denken dat dit alles zin heeft, een betekenis heeft. Omdat ze denken dat zij het niet hebben begrepen. Omdat ze denken dat anderen hun, tevergeefs, deelgenoot willen maken van het geheim. Niemand had de kloten om ze te vertellen dat er niks te begrijpen valt. We zijn als water in een pannetje. Het vuur staat aan. We koken lekker. Stoom stijgt op. We krimpen. We verdampen. Kent u iemand uit de dertiende eeuw wiens dood u iets kan schelen? Dat bedoel ik. Uiteindelijk maakt het allemaal niks uit.

[...]

Jacq: Waarom heeft u geen kleren aan, meneer De Heer?

Deo: Deo wil niet gestoord worden.

Jacq: U bent toch Deo?

Deo: Deo is bezig.

Jacq: Straks vat u nog kou.

Deo: Deo bereidt zich voor op het onvermijdelijke.

Jacq: En wat is dat dan, als ik vragen mag?

Deo: De overgang.

Jacq: Waarheen dan?

Deo: Van het een naar het ander.

Jacq: Wat bent u van plan, meneer De Heer?

Deo: Deo is niks van plan. Anderen hebben een plan. Deo wil met rust gelaten worden.

Jacq: U gaat toch geen domme dingen doen, hè? Denk aan uw kinderen.

Deo: Deo denkt juist aan uw kinderen, mevrouw.

Jacq: Mijn kinderen?

Deo: Hoe het voor hen zou zijn om zonder moeder op te groeien.

Jacq: Bedreigt u me nu?

Deo: Deo bedreigt u niet, mevrouw. U bent vervloekt.

Jacq: Vervloekt? Hoezo?

Deo: U bent in Deo's nabijheid geweest.

Jacq: U ziet er moe uit. Zal ik een slaapmiddel voor u vragen?

Deo: Deo moet werken. Hij wil met rust gelaten worden.

Jacq: Prima. Ik kom straks nog even terug.

Deo: Staat Cornelius bij de deur?

Jacq: Net nog wel.

Deo: Deo wil hem graag spreken. Is dat toegestaan?

Jacq: Misschien moet u eerst wat aantrekken.

Deo: Het bovenlaken alstublieft, mevrouw.

Jacq: U heeft wat weg van een Romeins standbeeld zo.

Deo: U mag Cornelius toelaten.

Jacq: Prima. Dokter Hauptfleisch komt zo ook nog even langs.

[...]

EH: Hoe gaat het met u?

Deo: (...)

EH: Ik heb het gevoel dat ik u kwijtraak.

Deo: (...)

EH: Jacqueline maakt zich ook zorgen.

Deo: Niemand hoeft zich zorgen te maken.

EH: Weet u dat zeker? Jacqueline zegt dat u in de derde persoon praat over uzelf.

Deo: (...)

EH: Zit u nog steeds te schrijven? U had ook al wat meegegeven aan uw advocaat.

Deo: (...)

EH: Ik laat u nu met rust. Morgenochtend kom ik weer langs.

Deo: Vaarwel.

[...]

U zit in Deo's hoofd, beste lezer. U bent passagier. U kijkt door de dubbele voorruit van zijn ogen. Hij zit te schrijven in zijn cel. Een afscheidsbrief. Een slot. U heeft geen macht over het stuur. U zit gevangen in het verhaal. Anderen zijn allang uitgestapt. Maar u bent gebleven. Daarvoor zult u worden beloond. Alle schoonheid en waarheid worden uit lijden geboren. Alleen het hiernamaals wordt door hebzucht gebaard. De kever kruipt en kruipt maar door tot het onvermijdelijke. Tot er slechts een uitgevreten huls overblijft. Vraagt u zich weleens af of zijn keverziel ten hemel is gestegen? Waarom zou u daar dan op mogen hopen? Omdat iemand ooit een hiernamaals heeft beschreven in een boek? U bent hier omdat u het imaginaire looft. De gedachte dat de gedachte bedacht is en overdraagbaar en voelbaar, gesterkt door de wetenschap dat het leven verlengd kan worden door kennis te nemen van andere levens. Deo is u voorgegaan. Deo heeft de gidsen geschreven en gelezen. Deo heeft zich blootgesteld aan het gevaar en de gekte die ons losweekt van alles wat ons raakt. Zijn verkenningstocht was van steen, van ijzer, van water, van bloed. U wilt weten wat de betekenis is. Uw hersenen proberen de waarheid aaneen te rijgen. De schrijver sloopt het huis van de gedachte en kennis stroomt als rook uit het dak. Flarden geheugen vluchten gillend over straat. Het maanlicht probeert afdrukken te maken zodat er nog een schaduw rest. Maar ook dat is zinloos. De oren sluiten zich en de mond is dichtgenaaid. Alleen de pen beweegt nog.

Stop. Deo leest wat Deo heeft geschreven. Nog even en dan mag u terug naar uw eigen leven. Dat zal niet meer zijn zoals het was. Er zal zich een diepe treurnis van u meester maken. U zult iets zoeken om uw zinnen te verzetten. U wilt vergeten wat u hier heeft meegemaakt. Kijk goed naar Deo's lichaam, uw voertuig. Ziet u de plooien die nooit meer gladgestreken zullen worden? De schamele restjes haar? Hij is naakt. Kijk hoe zijn vingers de pillen uit de verpakking duwen. Hij zit vol stront dat losgeschud moet worden. Dat is vaak het laatste teken. Laat maar gaan. Laat maar lopen dat leven. Alle spieren verslappen zich heel even, om daarna voor altijd te verstijven. Hoeveel heeft hij er zo zien liggen? Tientallen? Honderden? Nergens was een ziel te bekennen die zonder de hulp van anderen in leven werd gehouden. Alleen dit zal overleven. Hetgeen geschreven is. En ook dat is maar de vraag.

Even pauze. Hou nog even vol. Het einde is nabij. Kijk, Deo scheurt het laken nu in lange stroken. Daar zal hij mee ontsnappen. Alles is al eens eerder gedaan en beter. Vlecht de lakenstroken tot een touw dat het gewicht kan dragen. Drie kolkende witte stromen die bijeen komen om het leven weg te spoelen. De stalen stenen van de berg worden zo doorklieft. Een dikke koperader wordt blootgelegd. De knopen passen er precies omheen. Kijk eens hoe warm en zacht die strop eruitziet. Als een sjaal die de laatste restjes warmte eruit perst. Er liggen twee pilletjes in Deo's hand, die zijn gang naar het hiernamaals zullen laxeren. Ze komen steeds dichterbij, worden omsloten door de lippen, liggen even op de tong, voordat ze worden weggespoeld met water.

Deo staart nu in de spiegel. Als u goed kijkt ziet u uzelf zitten, beste lezer, achter een van zijn oogramen. Zwaai maar even. De reis is bijna ten einde. Hoort u het rumoer op de gang? Geschreeuw, hollende voeten. Dat is het teken. De chauffeur moet nu uitstappen. U mag gerust nog even aan boord blijven zitten. Kijk, daar passeert het witte lakentouw de dubbele voorruit. U kunt niet zien waar de strop zich nestelt, maar u voelt het waarschijnlijk wel. Het schuren en het trekken. De uitlaat stottert. De allerlaatste restjes leven spatten uiteen op de tegelvloer. De laatste daad van verzet tegen de dood. Jammer dat de afscheidsbrief nooit tijdens het afscheid wordt geschreven. We weten dus de waarheid niet. Of toch? U zit te lezen en bent van mij verlost.

[...]

Beste Rem,

Ik weet niet of je dit leest, maar ik heb van advocaat Roel van B. begrepen dat jouw lichaam op raadselachtige wijze is verdwenen bij het ziekenhuis. Er wordt beweerd dat er een fout is gemaakt waardoor je in de verkeerde kist bent beland, maar ik heb zo mijn vermoedens, Lazarus. Vooral omdat Roel een aantal maanden geleden voor het eerst foto's van een onbekende afzender begon te ontvangen op zijn telefoon.

De eerste serie heeft Roel verwijderd omdat hij dacht dat ze afkomstig waren van een andere cliënt van hem die naar Zuid-Amerika is gevlucht, en omdat de foto's zeer belastend voor hem zouden kunnen zijn. Er stonden namelijk steeds doodsportretten op van mannen die vermoord waren aan tafel, op bed, op de wc, in het halletje van hun huis. Er stond verder niks bij, behalve het macabere bericht: 'Groeten uit Medellín', 'Groeten uit Bogotá', 'Groeten uit Buenos Aires'.

Volgens Roel was er op de eerste foto's geen bloed te zien. Het zag eruit alsof de mannen gewurgd of gestikt waren. Hij dacht pas aan jou toen hij op een van de foto's bloedvlekken op een laken zag en, na uitvergroting van het beeld, merkte dat de rechterpink van het slachtoffer was afgesneden. Hij heeft mij toen gebeld en gevraagd of ik nog contact met jou heb gehad. Mijn antwoord was natuurlijk nee, maar ik was wel benieuwd. Op mijn verzoek heeft hij een aantal doodsportretten naar mij gestuurd. Uiteraard kon ik niet bevestigen of dit jouw werk was, maar het was wel duidelijk dat er een vinger ontbrak.

Hoe dan ook, Roel vroeg of ik aan jou wilde overdragen dat hij graag op de hoogte blijft van het doen en laten van zijn (ex-)cliënten, maar dat hij liever geen foto's van vermoorde mannen ontvangt.

Mocht je dit lezen en gehoor geven aan zijn verzoek, dan heeft dat als bijkomstig nadeel dat ik rekening zal moeten houden met de mogelijkheid dat je nog steeds in leven bent.

Je broer

[...]

Bronnen & dankwoord

Hoewel het striemende cynisme van dhr. Deo misschien anders doet vermoeden heb ik zelf grote bewondering voor journalisten, wetenschappers en anderen die hun (werkende) leven wijden aan een zoektocht naar de/een waarheid. Sterker nog, ik had geen gedegen verhaal kunnen schrijven zonder de hieronder vermelde non-fictiebronnen, die ieder op hun eigen manier een bijdrage leverden aan mijn inzicht in het leven van dhr. Deo. Daarnaast mag niet onvermeld blijven dat het schrijven over een bepaald onderwerp de hersendeur opent voor informatie die haast ongemerkt binnenwaait maar evengoed van groot belang en invloed kan zijn. Ik bied daarom alvast mijn excuses aan aan degenen wiens werk en bijdragen onvermeld zullen blijven.

Een speciaal dankwoord aan mijn vrouw, kinderen en vrienden, die er altijd een gestoorde doch inspirerende bende van maken; aan Bert, Annemarié en Ruud, die een rustig heenkomen boden waar ik in alle rust kon werken; en aan Caroline, Guus, Paul en Vic, voor hun toewijding en vertrouwen.

FORENSISCHE OBSERVATIE

Hartelijk dank aan ervaringsdeskundige Jos voor het doorlezen van een vroege versie van het manuscript. De documentaires van Ditteke Mensink en Zoli Schwarcz (zie hieronder) hebben een diepe indruk op me gemaakt, en ik heb veel gehad aan het boek van Koenraadt et al., dat goed inzicht gaf in de dagelijkse gang van zaken bij het Pieter Baan Centrum. Buiten de onderstaande titels heb ik ook veel gehad aan de website van het Pieter Baan Centrum en verschillende andere digitale bronnen.

Feldbrugge, Julie, *Wat iedere Nederlander zou moeten weten over de tbs – Geschiedenis, achtergronden en werkwijze van een uniek systeem*, Valkhof Pers, Nijmegen, 2007.

Koenraadt, Frans et al. (red.), *De persoon van de verdachte – De rapportage pro justitia vanuit het Pieter Baan Centrum*, Kluwer, Utrecht, 2004.

Mensink, Ditteke (regisseur), *Tony – een observatie in het Pieter Baan Centrum* (documentaire), Holland Doc/Human, 2011.

Mooi, Antoine, *Toerekeningsvatbaarheid – Over handelingsvrijheid*, Boom, Amsterdam, 2004.

Schwarcz, Zoli (regisseur), *Paviljoen 7* (documentaire), Dokument/NCRV, 2011.

JOURNALISTIEK

Karskens, Arnold, *Rebellen met een reden – Idealistische Nederlanders vechtend onder vreemde vlag*, Meulenhoff, Amsterdam, 2009.

Karskens, Arnold, *Reizen langs de frontlijn – Een overlevingshandboek voor journalisten, hulpverleners en avonturiers*, Meulenhoff, Amsterdam, 2002.

Luyendijk, Joris, *Het zijn net mensen – Beelden uit het Midden-Oosten*, Podium, Amsterdam, 2006.

IK MAG NIET LACHEN

Hopkins, Ruth, *Ik laat je nooit meer gaan – Het meisje, de vrouw, de handelaar en de agent*, De Geus, Breda, 2005.
(Dank aan Ruth voor haar commentaar op een vroege versie van dit verhaal.)

Samaritaan

Makdisi, Saree, *Palestine Inside Out – An Everyday Occupation*, W. W. Norton & Company, New York, 2008.
(Dank aan Arthur voor zijn commentaar op een vroege versie van dit verhaal.)

Nazgûl

Glenny, Misha, *The Fall of Yugoslavia*, Penguin, London, 1992.
(Dank aan Dragana voor haar commentaar op een vroege versie van dit verhaal.)

Delft

McGilvray, Dennis B. en Gamburd, Michele R. (red.), *Tsunami Recovery in Sri Lanka – Ethnic and regional dimensions*, Routledge, London, 2010.
Premalal, P.K.J., *Tsunami, Tears and Humanity – The Experience of a Southern Sri Lankan Community*, Sri Lanka, 2007.
(Dank aan mijn vriend Mick voor het toesturen van de foto's.)

[...]

Zes beetwonden en een tetanusprik

Twee broers groeien op in Johannesburg. De oudste, Ace (Ysbrand), tracht zijn roekeloze broertje Rem (Remco) te behoeden voor de meest wonderlijke ongelukken waarin hij steeds verzeild raakt.

Midden jaren tachtig verhuist Ace naar Amsterdam. Rem vervult zijn dienstplicht in Zuid-Afrika, maar vlucht na een heftige aanvaring met zijn sergeant naar zijn broer in Nederland. Daar overleeft Rem ternauwernood een botsing met een tram in de Leidsestraat. Als zijn benen de volgende ochtend verlamd blijken te zijn, stapelen de problemen zich al snel op.

Winnaar van de Best First Book Award van de Universiteit van Johannesburg

'Vele grappige, ontroerende en morbide scènes in dit met vaart, humor en empathie geschreven boek.' – *Het Parool*

'Een vermakelijk postmoderne "black comedy" die de lezer bij de strot grijpt.' – *Het Financieele Dagblad.*

'Niemand ontsnapt aan zijn verantwoordelijkheid, zelfs de lezer niet. Want dankzij De Nooys vernuftige verteltechniek word je zo diep het verhaal in gesleurd dat je af en toe schrikt van iets waarom je eerst hebt gelachen. En dan besef je hoe gemakkelijk je medeplichtig kunt worden.' – *Trouw*

Zacht als Staal

Een moeder reist van het Zuid-Afrikaanse platteland naar Amsterdam om het lichaam van haar zoon op te halen. Gedreven door plichtsbesef en schuldgevoel onderneemt ze een bizarre zoektocht door een voor haar onbekende wereld om haar zoons leven en dood te reconstrueren. Bijgestaan door een cokedealende rasta weet ze een bonte stoet vrienden en bekenden te achterhalen – knipnichten, koffie-moffies, hoerenjongens, rampenjagers. Maar lang niet iedereen draagt haar een warm hart toe en sommigen willen bepaalde feiten liever verborgen houden in de achterkamertjes van het nachtleven. Tijdens haar zoektocht begint Alma te beseffen hoezeer zij zelf heeft bijgedragen aan de ondergang van haar zoon.

Longlistnominatie AKO Literatuurprijs 2011

'De Nooy weet schitterend twee werelden op te roepen: het nietsontziende Zuid-Afrika en de "gay is beautiful"-mentaliteit van de jaren tachtig die minstens zoveel geweld in zich blijkt te herbergen. Tussen die twee werelden moet Staal zien te schipperen – en verdrinkt.'
– NRC Handelsblad

'Overweldigend, indrukwekkend, verfrissend en verrassend. Verdient een groot lezerspubliek.' – Gay Krant

'Vulkaanachtige heftigheid.' – Tirade

Uitgeverij Nijgh & Van Ditmar stelt alles in het werk om op milieu-vriendelijke en duurzame wijze met natuurlijke bronnen om te gaan. Bij de productie van dit boek is gebruikgemaakt van papier dat het keurmerk van de Forest Stewardship Council (FSC) mag dragen. Bij dit papier is het zeker dat de productie niet tot bosvernietiging heeft geleid.